논·술·한·국·대·표·문·학

50

옥상의 민들레꽃

문순태 | 최일남 | 한승원 | 박완서

징 소리 외

훈민출판사

한승원처럼 자신의 고향을 작품 속에 드러내는 작가도 드물다. 한승원의 작품에 등장하는 바다는 갯바람이 몰아치는 사나운 바다이다. 그는 그 바다를 터전으로 억척스레 살아가는 사람들의 삶과 한을 그려 보인다.

소설가 문순태는 근대화 논리에 밀려 해체되는 농촌 사회의 현실을 그려냈다. 경제 발전의 논리에 밀려 모든 것을 잃은 농민의 삶에 내재해 있는 한의 문제를 집요하게 추구하는 데에 그 특징이 있다.

광주에서 문인들과 함께(1976)

최일남의 시선은 뿌리 뽑힌 인간들을 향해 열려 있다. 그는 도시 속의 농촌성과 농촌 속의 도시성을 끊임없이 추구한다.

멕시코의 마야 유적지를 돌아보며 작품을 구상하고 있는 최일남

서재에서의 최일남

한승원 문학 현장비. 한승원의 고향 앞바다에는 토속적인 한의 세계를 표현해 온 한승원의 문학비가 세워져 있다. (전남 장흥 소재)

민들레꽃. 〈옥상의 민들레
꽃〉은 시멘트 바닥에 피어
난 민들레꽃을 통해 희망을
보여 준다.

The Best Korean Literature

박완서는 어떠한 기교나 꾸밈도 거부하며 자신만의 체험을 보편
화시키는 능력을 가진 작가다. 속물주의에 대한 비판과 분단의
상처까지, 그는 우리 시대의 풍경을 아우르는 뛰어난 솜씨를 보
여 준다.

〈엄마의 말뚝〉의 배경이 된 서울 현저동 골목에서. 니
마흔에 〈나목〉으로 등단한 박완서는 지금까지 왕성
창작 활동을 해 오고 있다.

구인환(丘仁煥)

서울대학교 사범대학 졸업. 동 대학원 졸업(문학박사)
서울대학교 명예교수, 소설가(현). 서울대학교 사범대학 국어교육연구소 소장(현)
문학과문학교육연구소 소장(현). 국제펜 한국본부 부회장(현)
한국소설문학상(1987) 예술문화대상(1994) 한국문학상(2000)
작품 〈숨쉬는 영정〉, 〈살아 있는 날들〉, 〈일어서는 산〉 외 다수

- **저서** ≪한국단편소설의 이해≫, ≪한국현대소설의 비평적 성찰≫,
  ≪고교생이 알아야 할 소설≫, ≪고교생이 알아야 할 세계단편소설≫ 외 다수

윤병로(尹柄魯)

성균관대학교 국어국문학과 졸업. 동 대학원 졸업(문학박사)
성균관대학교 교수, 문학평론가(현). 한국현대소설학회장(현)
한국문예학술저작권협회 이사(현). 한국간행물윤리위원회 위원(현)
한국펜 문학상(1987). 한국문학상(1988). 대한민국문학상(1989)
수필집 ≪나의 작은 애인들≫

- **저서** ≪현대 작가론≫, ≪한국 현대 소설의 탐구≫,
  ≪한국 근대 작가 작품 연구≫, ≪한국 현대작가의 문제작 평설≫ 외 다수

홍성암(洪性岩)

고려대학교 국어국문학과 졸업. 한양대학교 대학원 국어국문학과 졸업(문학박사)
동덕여자대학교 교수, 소설가(현). 한국문인협회 회원(현)
한국소설가협회 이사(현). 국제펜 한국본부 소설분과 이사(현). 한민족 문화학회 회장(현)
창작집 ≪큰 물로 가는 큰 고기≫, ≪어떤 귀향≫ 외
대하역사소설 ≪남한산성≫(전9권) 외 다수

- **저서** ≪문학의 이해≫, ≪현대 작가론≫, ≪한국 근대 역사소설 연구≫ 외 다수

기획 · 감수

박완서가 유년기를 보낸 경기도 개풍
땅. '개성 23.5km'라고 적힌 이정표 앞
에서 포즈를 취하고 있다.

논술 *한국대표문학*을 펴내며

21세기의 사회는 **'전자 문명 시대'**라 일컬어질 만큼 오늘날 전자 산업은 우리 생활의 거의 모든 분야에 다양하게 응용되고 있습니다. 출판 분야 또한 예외는 아니어서, 종래의 서책(Book) 대신에 이른바 '전자책(CD-ROM)'의 출간이 최근 들어 날로 증가하고 있습니다.

그러나 이러한 전자책은 영상 또는 모니터상으로 흥미 위주나 백과사전식 지식을 습득하는 데는 효과적일지 모르지만, 문학 공부를 위해서는 별로 도움이 되지 않습니다. 바꾸어 말하면, 문학 공부는 각 지면마다 살아 숨쉬는 표현 하나하나를 독자 자신의 머리로 음미하면서 작품을 읽어 나가는 가운데, 풍부한 상상력의 배양과 함께 작가의 의도와 그 작품의 내면을 깊이 있게 이해함으로써 이루어지는 것입니다.

이에 훈민출판사에서는, 자라나는 학생들이 범람하는 영상 매체에 길들여지기 전에, 어려서부터 유명한 세계문학 작품들을 책자를 통하여 감명 깊게 읽고 감상함으로써, 올바른 문학 공부의 기틀을 다지고, 아울러 전인 교육도 할 수 있도록 《논술 한국대표문학(전60권)》을 펴내게 되었습니다.

작품 선정은, 초·중·고등학교 국어 교과서와 역사 교과서에 실리거나 소개된 문학 작품을 중심으로 하되, 그리스 신화와 성경 이야기 등의 고전에서부터 중세·근대·현대에 이르기까지 세르반테스·셰익스피어·톨스토이 등 세계 유명 작가들의 장·단편 소설들을 엄선·수록하였습니다. 또 세계의 명시도 별권으로 엮었으며, 특히 각 단락마다 **'논술 문제'**를 제시하여, 장차 대학입시를 비롯한 각종 '논술 고사'에 예비 지식을 쌓을 수 있도록 배려하였습니다. 아무쪼록, 이 《논술 한국대표문학(전60권)》이 자라나는 학생들에게 문학 공부의 주춧돌이 되고, 나아가 미래를 살아가는 데 **정신적 자양분**이 되기를 진심으로 바라 마지않습니다.

훈민출판사

차례

문순태

징 소리

지은이

1941~ 전남 담양 출생. 1973년 〈백제의 미소〉로 한국문학 신인상에 당선되어 문단에 나왔다. 같은 해 송기숙, 한승원 등과 동인지 《소설문학》을 발간했다. 이후 〈흑산도 갈매기〉, 〈미명의 하늘〉, 〈말하는 징소리〉, 〈물레방아 속으로〉, 〈철쭉제〉, 〈달궁〉, 〈타오르는 강〉, 〈아무도 없는 서울〉 등 많은 작품을 발표했다. 소설문학 작품상, 전남문학상, 문학세계 작가상 등을 받았다.

징 소리

1

　방울재 허칠복(許七福)이가 고향을 떠난 지 3년 만에 미쳐서 돌아와 징을 두들기며, 댐을 막은 뒤부터 밀려드는 낚시꾼들을 쫓아 댔다. 덩실 덩실 춤을 추며 징을 두들기는 칠복이의 모습은 나무 탈을 쓴 도깨비 같다고들 했다.

　그리고 그가 그렇게 된 것은 고향을 잃은 서러움, 아내를 빼앗긴 원한 때문이라고들 했다.

　아무도 기다리는 사람이 없는 고향에 여섯 살 난 딸아이를 업고 불쑥 바람처럼 나타난 그는, 물에 잠겨 버린 지 3년째가 되는 방울재 뒷동산 각시바위에 댕돌같이 앉아서는, 목이 터져라고 마을 사람들의 이름을 하나하나 불러 대는가 하면, 혼자서 고개를 끄덕거려 가며 오순도순 귀신 씨나락 까 먹는 소리를 중얼거리다가도, 불컥 고개를 쳐들어 하늘을 찔러 보고, 창자가 등뼈에 달라붙도록 큰 소리로 웃어 대고, 느닷없이 징을 두들기며 껑충껑충 도깨비 춤을 추었다.

　그런데 이상한 것은 그의 성질이 염병을 앓아 귀머거리가 된 사람처럼 물렁해지고, 바보처럼 느물느물해진 거였다. 황소같이 힘이 세고 성깔이 왁살스럽던 그는, 도깨비 춤추듯 징을 두들기다가도 방울재 사람들이 쫓아와서 한 마디만 질러 대도 슬그머니 징채를 감추고 목을 움츠리는 거였다.

"덕칠아 봉구야, 싸게싸게 갈치배미 나락 베러 가자."

징 징 징…… 징 징 징……

칠복이는 징을 치며 장성호 물이 넘칠넘칠 떡갈나무 밑동을 핥아 대는 호숫가를 이리 뛰고 저리 뛰었다. 그가 징을 치고 경중거릴 때마다 졸래졸래 아비를 따라다니는 여섯 살 난 그의 딸이 징 소리에 맞춰 춤을 추듯 옴죽거렸다.

구름 한 가닥 없이 청명한 하늘에서는 명주실처럼 윤기 있는 늦가을의 햇볕이 선득선득 꽂혀 내리고 고속 도로가 뻗고 산들이 뻐끔하게 트인 장성읍 쪽으로 아슴히 보이는 댐 위에서부터 삽상한 바람은 수면을 조리질하듯 천천히 훑어 올라왔다.

"덕칠이, 봉구, 팔만이 몽땅 뒤졌는겨 살았는겨?"

칠복이는 부릅뜬 눈으로 호수를 찔러보며 계속 징을 치고 목청껏 방울재 친구들의 이름을 불렀다.

호숫가에 띄엄띄엄 한가하게 낚싯줄을 드리운, 얼추 헤아려도 여남은 명이 넘을 것 같은 낚시꾼들은 난데없는 징 소리에 벌떡벌떡 일어서는 울화가 머리끝까지 치민 얼굴로 각시바위 쪽의 칠복이를 꼬나보았다.

징 징 징…… 징 징 징……

마치 하늘 어느 한 구석이 무너져 내리는 소리 같기도 하고, 수많은 사람들이 떼지어 울부짖는 소리와도 같은 징 소리는 호수 안통 방울재 골짜기를 샅샅이 쥐흔들었다.

"이봐, 빨리 꺼지지 못해?"

앙바틈한 체구에 챙이 길쭉한 빨간 운동 모자를 비뚜름하게 눌러쓴 낚시꾼 하나가 실팍한 돌멩이를 집어 들고 무섭게 노려보며 소리를 치자, 칠복은 잽싸게 참나무 뒤로 몸을 피하고 잠시 조용해지더니, 이내

다시 징채가 부러지도록 힘껏 휘둘러 댔다. 그 때 징 소리는 징징징 우는 것이 아니고 와글바글 사뭇 방울재 골짜기의 너덜겅을 호수로 허물어 내리는 듯싶었다.

"저 미친 놈이 끝내 훼방이여!"

낚시꾼들 대여섯 명이 당장 칠복이를 잡아 물 속에 처박을 기세로 각시바위 쪽으로 뛰어올라갔으나, 칠복이는 참나무를 끼고 이리저리 피하며 잠시도 징채를 멈추지 않았다.

단숨에 칠복이를 붙잡지 못한 낚시꾼들은 더욱 화가 치밀어 씩씩거렸고, 칠복이는 칠복이대로 신이 나서, 딸아이마저 팽개친 채 두레패 상쇠놀음 하듯 고개까지 까닥거리며 겅중겅중 뛰었다.

빨간 모자의 낚시꾼이 긴 작대기를 후려치는 바람에, 칠복이는 헉 외마디소리와 함께 아기 다복솔 위로 꼬꾸라지고 말았다. 작대기에 허리를 얻어맞고 쓰러진 칠복이는 징을 빼앗기지 않으려고 가슴에 꼭 안았다.

칠복이가 꼬꾸라지자 대여섯 명의 낚시꾼들이 우르르 달려들어 발길로 엉덩이를 걷어차기도 하고, 어떤 사람은 그의 품에서 징을 빼앗으려고 했으나 그는 솔가지에 얼굴을 묻고 엉덩이를 하늘로 치켜올린 채 고슴도치처럼 몸을 도사렸다.

아비를 따라다니며 징 소리에 맞춰 깡총대던 딸아이가 아빠를 부르며 울음을 터뜨리자, 그들은 비로소 발길질을 멎었다.

"미친 사람이니 용서해 줍쇼!"

그 때, 호숫가에 가건물을 지어 놓고 낚시꾼이나 댐을 구경하러 온 관광객들을 상대로 술이며 매운탕을 끓여 파는 방울재 남자 셋이 허위허위 뛰어올라와서 칠복이를 가로막아 서며 사정을 했다.

"아는 사람이우?"

낚시꾼이 물었다.

"한 마을 사람이구먼유."

검적검적 점이 많은 얼굴이 발그레하게 술이 오른, 삐쩍 마른 봉구는 연신 허리를 굽적거렸다.

"이 마을에 사는 사람이란 말이우?"

"없어졌지라우."

"없어지다니 뭐가요?"

"방울재가 없어졌지라우. 몽땅 물에 쟁겨 뿌렸어유. 남은 것이라고는 저 뒷골 감나무뿐인갑네유."

봉구는 황새처럼 목을 길게 뽑아 그들이 서 있는 발부리 아래, 찰랑찰랑 허리가 물에 잠긴 채 빨갛게 익어 가고 있는 접시감나무를 가리켰다.

"그러면 우리가 낚시질하고 있는 여기가 바로 방울재라는 마을이었단 말이우?"

나이가 지긋하고 턱끝이 도끼날처럼 날캄한 낚시꾼이 흥미가 있다는 말투로 물었다.

"그렇구먼유. 우리덜 지붕 위에다 낚시를 던지신 거나 마찬가지지유."

"지붕 위에서 낚시질이라!"

빨간 모자는 재미있다는 듯 웃었다.

"선생님들, 이 사람은 우리가 데려갈랍니다요."

"다시는 여기 못 오게들 허쇼."

"염려 놓으십쇼. 다리 모갱이를 작씬 분질러 놓겠으니께유."

방울재 사람들은 왁살스럽게 칠복이의 어깻죽지를 잡아 일으켰다. 조금 전까지만 해도 신들린 사람처럼 겅중대며 징을 두들기던 그 기세는 어디로 숨어 버렸는지, 그는 징을 가슴에 소중하게 두 팔로 꼭 껴안은 채 겁먹은 얼굴로 큰 눈을 뒤룩거렸다.

"미친 사람은 묶어 둬야 합니다. 에잇, 재수 없어!"

낚시꾼들은 방울재 사람들이 칠복이를 끌고 내려가는 것을 보고 큰 소리로 다짐을 받고 나서 다시 낚시터에 앉았다.

"좀 올렸습니까요?"

칠복이를 끌고 내려간 줄 알았던 빼빼 마른 봉구가 빨간 모자 옆에 엉거주춤 무릎을 세워 앉으며 물었다. 그는 기왕 예까지 올라온 김에 매운탕 손님 하나라도 미리 잡아 두어야겠다는 생각으로 슬그머니 뒤에 처진 거였다.

"미친 놈이 나타나서 훼방을 놓는 바람에 김 팍 새 버렸소."

"엠병헌다고 미쳐 갖고 없어져 뿐진 고향에는 끄덕끄덕 돌어올 꺼유!"

"고향엘 찾아온 걸 보니 미친 사람은 아닌 게로군요."

"오락가락혀유."

봉구는 어룩어룩 때가 묻은 흰 와이셔츠 주머니에서 새마을 담배를 꺼내 입에 물고 잠시 고개를 돌려 주막으로 끌려 내려가는 칠복이의 뒷모습을 보았다. 봉구와 칠복이는 방울재 안에서 누구보다 가까운 친구였다. 그들은 마을이 없어지기 전까지만 해도 방울재에서 앞뒷집에 나란히 처마 맞대고 살면서 너냐 나냐 친동기간처럼 가까웠었다. 봉구는 부자였고 칠복이는 가난했지만 봉구는 칠복이 앞에서 조금도 있는 티를 보이지 않았다.

"저 미친 놈이 또 징을 치고 지랄해 싸면 어디 낚시질을 하겠소?"

"아닙니다유. 그런 염려는 붙들어매십쇼. 앞으로 물가에 얼씬 못 하게 헐 꺼잉께유. 저놈이 날마다 훼방을 치면 낚시꾼들이 안 올 게고, 그라믄 우린 굶어 죽을 껀디 그대로 내버려 두겠어유?"

봉구는 입에서 담배를 빼 들고 사뭇 흥분한 어조로 다급하게 말했다.

"왜 미쳤답니까?"

낚시꾼은 그냥 지나가는 말로 물었다.

"땜 때문이지라우. 고향을 잃고 도회지로 나갔다가 마누라꺼정 도둑 맞고 오장이 회까닥 뒤집혔다고 허드만유."

"마누라를 도둑맞아요?"

빨간 모자는 조금씩 깐닥거리는 찌를 향해 시선을 팽팽하게 던지며 물었다.

"가난흐고 못난 촌놈 마다흐고 잘난 도회짓놈흐고 배가 맞은 거지유. 어이쿠 물었네요. 감잎은 되느만유."

빨간 모자가 아이들 손바닥만 한 붕어를 낚아 올리자, 봉구는 빠른 솜씨로 낚싯줄을 잡아 낚시에서 붕어를 빼 구덕에 넣고 입감까지 끼워 주었다.

"그래서 미친 게로군!"

"고향 잃고 마누라꺼정 뺏겼으니 안 미치게 생겼남유?"

"미인이었소?"

낚시꾼은 흥미 있다는 듯 피시시 웃음을 머금어 날리며 물었다.

"촌에 미인이 있간디유? 새끼 하나만 낳으면 철푸덕 엉덩판만 커지고 무신 매력이 있어야지유. 그래도 그 칠복이 여편네는 얼굴도 반반하고 도회지 바람을 묵어서 촌티는 벗었지라우. 칠복이헌티는 좀 과헌 여자지유."

"마누라 뺏기고 원, 챙피해서 지랄한다고 고향엔 와요?"

"그러다마다유. 하지만, 오죽했으면 고향에 뭐 볼 거 있다고 다시 왔 겠남유? 결국 우리덜도 도회지에 나갔다가 발을 못 붙이고 다시 돌아 와서 이르케 낚시꾼들 덕으로 살어가고 있습니다만요, 으디 갈 데가 있어야지유. 굶어 죽어도 고향 선산에 뼈를 묻어야겠다는 생각 땜

시……."

봉구는 푸우 한숨 섞인 담배 연기를 길게 내뿜으며, 멀고 회한에 가득한 눈으로 산자락 모퉁이 옛날 창평 고씨 제각이 있던, 펀펀한 곳에 즐비하게 늘어선 매운탕집 주막들을 바라보았다. 지난 봄까지만 해도 선산을 버리고는 죽어도 방울재를 떠나지 않겠다면서 처음부터 집을 뜯어 옮기고 그대로 눌러앉은 박팔만이네를 제하고, 다섯 집밖에 안 되었는데 벌써 열한 집으로 늘어났다.

새로 생긴 방울재 매운탕집들 앞으로는 아카시아 숲이 휘움하게 울타리처럼 둘러쳐져 있고, 아카시아 숲 너머로는 호남 고속 도로와 연결되는 좁장한 신작로가 뻗쳐 들어오고, 그 길을 따라 낚시꾼들이 타고 온 자가용차들이 집 둘레 여기저기에 번쩍번쩍 햇빛을 쪼개어 날렸다. 봉구의 눈에는 모든 것이 슬프고 어쭙잖게만 보였다.

말이 보상금이지, 보상 가격을 책정해 놓고도 1, 2년 뒤에야 지불을 받고 보니, 이미 인근 농토값은 몇 배로 뛰어올라 대토 잡기에 어려웠고, 도회지로 나가서 살자 해도 전세방을 얻고 나면 자전거 하나 사기도 힘든지라, 아무 짓도 못 하고 솔래솔래 곶감 꼬치 빼 먹듯 하다가는 두 손바닥 탈탈 털고 영락없이 알거지가 되고 만 집이 어디 한두 사람인가.

봉구 그 자신도 보상금 받아 가지고 읍에 나가서 버스 정류장 옆에 가게를 얻어 쌀집을 냈으나 어찌 된 셈인지 남는 것은 없고 옴니암니 본전만 까먹게 되어 전셋돈이나마 가까스로 건져 다시 방울재로 돌아오지 않았는가.

"지붕 위에서 낚시질을 한다고 생각하니 기분이 이상합니다."

빨간 모자 낚시꾼은 뚜벅뚜벅 곧잘 말을 걸어왔다.

"사람들꺼정 한꺼번에 잼겨 뿐 거이 더 마음 아프구먼유."

"누가 빠져 죽었나요?"

"죽은 거나 매한가지라우. 수십 년 동안 얼굴 맞대고 정 붙이고 살아온 방울재 사람들을 시방 어디에 가서 찾을 겁니까유. 살아남은 사람들은 몇 집 안 되지라우."

"예끼 여보슈, 난 또 무슨 소리라구!"

"선생님들은 우리 속 몰라유."

"땜이 원망스럽겠군요."

"으째서유?"

"고향을 삼켜 버렸으니까요."

"워디가유. 아무리 배우지 못했어도 우리가 그러키 앞뒤 꽉 맥힌 멍충이들이란가유? 땜이 생겨서 많은 농민들이 가뭄 모르고 농사 잘 짓는 거이 을매나 잘 헌 일인가유? 우리도 그 정도는 압니다유."

"그렇다면 됐습니다."

"그래도 고향이 없어져 뿔고 정든 사람들이 뿔뿔이 풍비박산되야 뿐졌는디 으찌."

"딱하게 됐습니다."

"그라니께 우리는 뿌리 없는 나무여라우. 우리헌티 땅이 있소, 기술이 있소?"

빨간 모자가 대꾸를 해 주지 않자, 봉구는 고개를 들어 다시 매운탕 집들 위로 내리뻗은 고속 도로를 바라보았다. 자동차들이 바람처럼 쌩쌩 내달았다.

2

호수 위에 검실검실 어둠이 내렸다. 호수를 한 아름 보듬은 산 그림자가 칙칙하게 내려앉기 시작하면서 하늘의 구름들이 낮게 흐르더니 바람이 드세어지고 수면이 거칠어졌다.

어둠이 두꺼워지고 바람이 거칠어지자 낚시꾼들은 하나 둘 돌아가 버렸다.

어둠이 무겁게 짓누르는 호수에는 휘휘하고 음산한 그림자들이 일렁이는 듯싶었다. 마치 방울재 사람들의 그림자 같았다.

칠복이는 조금 전 빨간 모자 낚시꾼이 앉았던 자리에 무릎을 세우고 두 손바닥으로 턱을 받쳐 들고 앉아서 우두커니 수면 위에 우줄거리는 칙칙하고 휘휘한 그림자들을 내려다보고 있었다. 그의 옆에는 딸아이가 두 팔로 아비의 세운 무릎을 껴안고 찰싹 달라붙어 있었다.

호수에서 사각사각 나락 베는 소리가 들렸다. 사람들의 두런거리는 말소리도 들렸다. 방울재와 방울재 사람들의 모습이 한눈에 죄 보였다. 금줄을 두른 마을 앞 윗당산의 늙은 팽나무와, 방울재에서는 칠복이 혼자만이 들어올린 큰 들독이 보였고, 이엉을 입힌 돌담과 판놀이네 탱자나무 울타리, 군데군데 말라붙은 쇠똥이 널린 고샅들, 빨간 고추가 널린 초가지붕이며, 두껍다리 옆 그의 집도 보였다. 외양간에 매여 있는 송아지가 음매 하고 우는 소리, 꿀꿀대는 돼지, 꼬꼬댁 꼬꼬 닭이 알 낳는 소리, 바람 모퉁이 공터에서 아이들이 공치기를 하며 왁자지껄 떠들어대는 시끌시끌한 소리, 고샅이 쩡쩡 울리도록 아이들 이름을 부르는 소리, 이 자식 저 자식 죽일 놈 살릴 놈 욕을 퍼부어 대며 싸우는 소리들이 귀에 쟁쟁하게 들려 왔다.

발그무레하게 꽃이 핀 살구나무 가지들 사이로 훨쩍 열린 순덕이네 싸리문과 살구꽃처럼 환한 순덕이의 탐스러운 얼굴도 보였다. 순덕이와 함께 만나곤 했던 상엿집 모퉁이의 아카시아 숲 속에서는 그 때처럼 휘휘한 바람 소리가 들려왔다.

"아빠 추워, 집에 가아."

딸아이가 몸을 웅숭그리며 칭얼대자 그는 무릎을 열어 가랑이 사이에 넣고 꼭 안았다.

칠복이는 갈 곳이 없었다. 호수 속에 그의 집이 보였으나 물에 뛰어들 수가 없었다.

"저기 물 속에 우리 집이 뵈이쟈?"

칠복이는 손으로 가리키며 물었다.

"피이, 우리 집이 어딨어?"

"저어기, 물 속에. 바보야, 우리 집도 안 봬?"

"이잉 엄마아……."

아이는 울음을 터뜨렸다.

"벼락 맞어 뒈질 년!"

그는 아내의 골통을 박살내기라도 하려는 듯 큰 돌을 집어 호수에 던졌다. 풍덩 하는 소리에 딸아이가 흠칫 놀랐다.

"이잉, 엄마한테 간다고 해 놓고……."

"그래그래, 네 엄마는 저기 물 속에 있다. 물 속에 있는 엄마한테 갈래?"

칠복이는 버럭 고함을 지르며 딸을 떠밀어 내려고 겁을 주자 아앙 큰 소리로 울어 댔다.

"개만도 못한 녀언……."

그는 고개를 뒤로 젖버듬히 잦혀 별도 없이 시꺼먼 하늘을 쳐다보며 퍼허 하고 어처구니없는 웃음을 토해 내고 나서 다시 물에 잠긴 방울재를 내려다보았다.

족두리를 쓰고 원삼을 입은 순덕이의 모습이 보였다. 청실홍실을 드리운 합환주를 입에 댈 때 순덕이는, 게슴츠레한 눈으로 신랑인 칠복이를 훔쳐보면서 다른 사람이 눈치 안 채도록 싱긋이 웃어 보일 수 있을 만큼 여유를 보여 주었다.

3년 동안 식모살이를 하면서 도시 바람을 쐰 때문인지, 순덕이는 시골 처녀답지 않게 바라지고 슬거운 데가 있었다. 그런 순덕이를 방울재 칠복이 친구들은 너무 화딱 까졌다거니, 생긴 게 맷맷하여 어딘가 온전치 못한 여자라거니 하며 칠복이와는 어울리지 않는다고 하면서 그녀를 헐뜯고 은근히 훼방을 놓았던 것이었다.

그러나 칠복이 생각은 그렇지가 않았다. 매사에 생각이나 행동거지가 굼뜨고 사리가 분명한 순덕이가 꼭 필요했다.

결혼을 한 지 한 달도 못 되어 순덕이는 도회지로 나가서 살자고 하였다. 그 말에 칠복은 섬뜩한 무서움을 느꼈다. 어려서 아버지를 잃고 홀어머니마저 병으로 죽어, 외할머니 치맛자락에 가려 눈칫밥 먹고 자라서 장가를 들 때까지, 방울재에서 30리도 못 떨어진 정읍장과 징병 신체 검사할 때 읍에 갔다 온 일 외에는 여지껏 대처 바람을 한 번도 마셔 보지 못한 그로서는 도회지에 나가 산다는 것은 마치 방울재 개울의 미꾸라지를 목포 앞바다에 넣는 것이나 진배없는 일인지라, 그 말을 들을 땐 가슴이 울렁거리고 눈앞이 캄캄했던 거였다.

"전답도 없이 이런 촌구석에서 멀 바라고 사꺼시요."

순덕이는 입버릇처럼 이렇게 되뇌곤 했었다.

"우리도 논밭을 장만하면 될 거 아닌감."

칠복이 생각에, 그녀가 한사코 도회지로 나가 살자고 한 것은 그녀

말마따나 전답이 없는 탓이라고 헤아리고, 뼈가 으스러지도록 밤낮을 안 가리고 일을 했다. 외가에서 장성하도록 머슴 노릇을 하다시피 해 주었는데도 외숙부는 그가 장가들자 겨우 개다리 초가삼간에, 방울재 큰애기들이 하룻밤 오줌만 싸질러 대도 새끼 내가 넘치고 물난리가 나서 농사를 망친다는 하천 부지 자갈논 일곱 되지기를 떼어 주었을 뿐이었다.

"10년 안에 방울재에서 일등 가는 부자가 될 꺼잉께 두고 보드라고 잉."

칠복이는 외양간과 돼지우리를 지어 해마다 배냇소를 기르고 힘에 부치도록 고지품을 빌려, 결혼한 지 3년 만에 문서 없는 하천 부지 자갈논 서 마지기를 사들였다. 그대로만 간다면 그의 장담대로 10년 안으로 방울재 일등 부자는 안 되어도 남부럽지 않을 만큼 포실하게 전답을 마련할 것이 분명했다.

그러던 차에, 방울재에 댐을 막아 전답이 몽땅 물에 잠기게 된다는 것을 안 칠복이는 제정신이 아니었다. 사람 하나쯤 죽인다 해도 가슴을 꽉 메운 불덩이 같은 응어리가 없어질 것 같지가 않았다.

"그랑게 머이라고 합뎌. 우리는 방울재에서 살 팔자가 못 된 거 아니오. 끙끙대 쌓지만 말고 언능 도회지로 나갑시다."

칠복이의 매지매지 오장육부가 무클하게 녹아 내리는 속마음을 알 턱이 없는 순덕이는 얼씨구나 싶은 얼굴로 엉덩이를 들썩거렸다.

홧김에 서방질하더라고, 칠복이는 문서 없는 전답에 대해서는 보상한 푼 못 받은 채 광주시로 옮겨가, 임업 시험장 옆 산동네 꼭대기에 쥐구멍만 한 사글셋방을 얻어 들었다.

낯짝이 좋은 아내는 방울재를 떠나온 날부터 신바람나게 싸대 쌓더니, 사흘 만엔가 큰 식당 주방에서 일을 하게 되었으며 날마다 새벽같이 집을 나가서는 통금 시간이 다 되어서야 돌아오곤 했다.

칠복이는 밤낮 방구석에서 딸아이와 노닥거릴 수만도 없기에 일자리를 찾아다녀 보았지만, 찾아가는 곳마다 무슨 기술이 있느냐는 물음이었고, 그 때마다 그는 농사짓는 기술뿐이라고 부끄럼 없이 대답해 주곤 했다.

"농사짓는 기술도 기술이우? 차라리 마누라 배 타는 기술이 있다고 그러슈, 원!"

칠복이의 부끄럼 없는 대답에 그들은 기분 나쁘게 킬킬대고 웃어댔다.

그는 막일이라도 해 보려고 새벽마다 양동 큰다리께 품팔이 시장에 나가 보았지만 팔려 나가는 것은 언제나 미장이, 도배장이, 타일공 따위의 경험이 있는 기술자들이고, 해가 머리 위에 벌겋게 떠오르도록 남는 것은 칠복이와 같은 무거리들뿐이었다. 그런대로 지난 가을까지는 재수가 있는 날이면 질통꾼이나, 목도꾼, 모래와 자갈을 창서 부리는 일 등 기술 없이 뚝심으로 하는 일에 간단히 팔려 나다니기도 했었는데, 날씨가 쌀쌀해지면서부터는 도무지 막일꾼 구하는 사람도 없어, 긴 겨울을 콧구멍만 한 방에서 늙은 곰 겨울잠 자듯 처박혀 살았다.

칠복이는 아내가 벌어다 준 돈으로 가만히 앉아서 몸 편하게 살면서도 방울재의 봉구네 사랑방을 못 잊어 자나깨나 풀이 죽어 있었는데, 아내는 무슨 좋은 일이 그리 많은지 하루하루 얼굴에 생기가 돌고 새벽에 집을 나갈 때는 그 주제꼴에 얼굴 토닥거리며 화장을 하고 미장원에 들락거리며 모양을 내는 데 유난을 떠는 것 같았다.

봄이 오자 칠복이는 양동 품팔이 시장에 나가는 것을 포기하고 혼자서 고향인 장성으로 돌아가, 수몰이 안 된 가까운 마을에서 모내기 일을 해 주었다. 농사철이라 농촌에서는 하루도 쉴 새 없이 바빠서 일자리는 얼마든지 있었으며, 방울재 사람들이나 방울재 사람들의 친척들이 더러 있어서 그런지, 도회지에서 막일 하는 것보다는 마음이 편해서 좋았다.

광주에서는 도회지의 찌꺼기가 된 듯싶어 집 밖에 나가기가 그렇게도 부끄럽고 무서웠었는데, 비록 방울재는 아니지만 산과 들이며 하늘, 나무 한 그루 풀 이파리 하나까지도 낯익어 조금도 뜨아하거나 부끄러운 마음이 없었다.

칠복이는 장성댐 아랫마을에서 모내기 한철 농사일을 하고, 다시 여름에는 장성읍 과수원에서 살충제도 뿌리고 사과며 복숭아도 따주어 20만 원을 손에 쥐고 광주로 돌아왔다. 그는 아내를 설득해서 방울재는 없어졌더라도 다시 시골로 들어갈 결심이었다. 생각지도 않게 시골에는 그런대로 일거리가 많았고, 댐 아랫마을 노루목에 머슴으로 들어가면 소작논 다섯 마지기를 떼어 주고 식구들이 따로 한 집에서 살 수 있게 문간채를 내어 주겠다는 집도 있었다. 그는 어떻게 해서든지 아내와 같이 다시 시골로 돌아가고 싶었다. 아내가 끝까지 싫다고 한다면 코뚜레를 뚫어서라도 끌고 가야겠다고 단단히 마음을 공글리며, 아내가 기다리고 있을 광주로 가기 위해 마지막 밤 버스를 탔다.

시골에 돈벌이를 하러 내려간 뒤에 한 달에 한두 차례씩 잠깐잠깐 아내와 딸아이 얼굴을 보고 오긴 했으나, 식구들 데리고 다시 시골로 돌아갈 가슴 부푼 생각 때문인지 여느 때와는 달리 쿵덕쿵덕 심장이 마구 뛰었다.

버스에서 내린 칠복이는 큰맘 먹고 사과 한 꾸러미와 저육 한 칼을 떠서 달랑달랑 들고 산동네를 향해 마음 졸이며 숨가쁘게 내달았다.

그는 아내가 식당에서 집에 돌아올 시간과 맞추기 위해 일부러 느지막이 밤 버스를 탄 거였다. 합동 주차장에 내려 대합실 시계를 보았더니 아내가 돌아오기는 약간 이른 것 같아 식당으로 찾아가서 같이 들어

갈까 하다가, 아내가 먼저 집에 올라온 다음에 슬그머니 밤손님처럼 들어가 깜짝 놀래 주려고 지싯지싯 능장을 부렸던 거다.

산동네 꼭대기까지 허위허위 단숨에 추어 올라간 칠복은 잠시 집앞에서 미적거리다가 까치발을 하고 손을 넣어 소리 안 나게 판자 대문을 따고 살금살금 그들이 세들어 살고 있는 작두샘가에 있는 방 쪽으로 갔다. 불이 꺼져 있는 것으로 보아 아내가 돌아오지 않았거나, 아니면 벌써 돌아와 잠을 청하고 있는 것인지도 모를 일이었다.

칠복이는 일부러 뒷문으로 가서 살그머니 문을 열고 들어가 더듬더듬 천장을 더듬어 때걱 전기 스위치를 돌렸다. 방에 불이 켜지는 순간, 칠복이의 눈이 확 뒤집히면서 앞이 깜깜해져 버렸다. 분명 그의 아내 임순덕이 외간 남자와 발가벗은 채 한 덩어리가 되어 있지 않겠는가. 이 장면을 보는 순간 그는 하늘이 와르르 무너지는 듯한 놀라움과 울분으로 온몸이 떨리면서 피가 뚝 멎어 버리는 것만 같았다.

아내와 남자가 펄떡 놀라 일어나 앉는 것과 함께 칠복이는 우르르 부엌으로 뛰어나갔다. 헉헉 숨을 몰아쉬며 식칼을 들고 다시 방으로 뛰어들어왔을 때 아내와 남자는 이미 방 안에 없었다. 신을 꿸 겨를도 없이 판자문을 박차고 골목까지 뛰어나갔으나 그림자도 보이지 않았다.

그 날 밤 칠복이는 눈이 뒤집혀 식칼을 들고 거리를 헤매고 돌아다니다가 경찰에 붙들려 경찰서에서 하룻밤 신세를 지기까지 했는데, 보호실에 갇힌 그는 이미 정신이 온전하지가 못해 더럭더럭 고함을 지르고 길길이 뛰었다.

다음 날 산동네에 돌아와 보니 딸아이 혼자 집 밖에서 발을 뻗고 얼굴에 흙범벅이 된 채 목이 쉬도록 울고 있었다. 그 날부터 칠복이는 딸아이를 등에 업고 아내를 찾아 나섰다. 식당에도 가 보았지만 그 날 밤 이후로 나타나지 않는다는 거였다. 같이 도망친 남자가 누구인가도 알

길이 없었다. 아내를 찾다가 지친 그는 이제라도 돌아와 주기만 한다면 용서를 해 줄 생각이었다. 아내가 그렇게 된 것은 모두 칠복이 자기 탓으로 치부할 수밖에 없었다. 자신이 못났기 때문에 아내가 식당에 나가게 된 것부터가 잘못이 아니겠는가 싶었다.

아내를 찾아다니느라고 시골에서 벌어 온 돈마저 모두 까 먹어 버리고, 얼마 안 남은 산동네 사글셋방 값마저 찾아 쓴 칠복이는, 방울재에서 나올 때 나눠 가진 굿물인 징 하나만을 들고 거렁뱅이 신세가 되어 떠돌음했다.

칠복이는 거렁뱅이 신세가 되어 떠돌음하면서도 방울재에서 가지고 나온 징을 마치 그의 딸아이만큼이나 애지중지하였으며, 밤에 잠을 잘 때는 꼭 그 징을 베고 잤다. 그런데 그 징을 베고 잘 때마다 이상하게 그 징에서는 마치 방울재 할미산 너덜겅이 와르르 허물어지는 것 같은 소리가 귓석에 먹먹하게 들려오기도 하고, 또 어찌 들으면 방울재 사람들의 한 사람 한 사람 우는 소리가 아슴하게 흐느껴 오곤 했다.

그 때마다 방울재에 살던 시절이 눈에 선하게 떠올랐다.

칠복이는 징에서 고향 사람들이 그를 오라고 부르는 소리를 들었다. 그 소리를 들은 뒤 딸아이를 업고 꼬박 하루를 걸어 방울재에 닿았다.

"아빠, 배고파잉……."

잠이 든 줄로만 알았던 딸아이가 부스럭부스럭 상반신을 출썩거리며 칭얼대기 시작했다.

"천벌을 받을 녀언……."

칠복이는 다시 돌멩이를 집어 호수에 던지며 욕을 퍼부어 댔다.

"아빠…… 배고파아."

"그려그려, 마을로 내려가자."

칠복이는 딸을 업고 일어서며 별 없는 하늘을 쳐다보았다. 이따금씩 빗방울이 얼굴에 떨어졌으나, 그 때마다 그의 정신은 더욱 맑아졌고, 정신이 맑아질수록 고향과 아내를 잃어 버린 큰 슬픔이 목울대에 꽉 차올랐다.

"우리 집으로 가아……."

"우리 집? 물 속에 있는 집으로?"

"아빤 늘 그 소리뿐이네!"

"그러믄 어떤 집 말이냐?"

"순자네 집 같은 거!"

순자는 봉구의 딸이다.

"그래, 그러믄 순자네 집으로 가자."

"순자네 말고, 우리 집으로 가아……."

"바보 멍충아, 이 세상이 다 우리 집이라고 생각혀!"

칠복이는 딸아이가 알아들을 수 없는 말을 혼자말처럼 중얼거리며 검정 우단에 보석 몇 알이 흩어진 듯 불빛이 반짝이는 매운탕집들 쪽으로 내려갔다. 바람이 드세고 빗방울까지 비쳐 밤낚시꾼들은 하나도 눈에 띄지 않았다.

칠복이가 후미진 솔수펑 모퉁이를 돌아 불빛이 출렁이는 매운탕집들 가까이 왔을 때 빗방울이 후두둑 떡갈나무 잎들을 요란하게 두들겼다.

3

봉구네 집에는 매운탕집을 하는 방울재 사람들이 모두 모였다. 그들은 장사가 안 되는 날이면, 옛날 방울재 윗당산머리 봉구네 사랑방에 모여 놀던 버릇대로 밤만 되면 찾아왔다.

하나, 이 날 밤 모임은 좀 달랐다. 이 날 밤에는 칠복이 문제로 모인 것이었다.

"당장 쫓아 버려야 혀. 옛정도 좋지만 살고 봐야 헐 꺼이 아닌감!"

올 봄에, 혼기가 다 찬 두 딸과 중풍에 걸려 기동을 못하는 병든 아내를 끌고 방울재로 다시 돌아온, 회갑줄에 앉은 강촌 영감이 아까부터 와락와락 성깔을 부려 가며 큰소리였다.

"차마 워치크롬 쫓아 낼 거여."

봉구였다. 옛날에 위아랫집에서 처마 맞대고 살아온 정 때문에, 강촌 영감의 의견에 찬성을 하지 못했다.

"봉구 말도 일리가 있재잉. 고향에 찾아온 사람을 워치기 쫓아 낼 거요잉."

덕칠이도 칠복이와 가깝게 지내 왔던 터라, 쫓아 내자는 데에는 어딘가 마음이 꺼림했다.

"제정신 갖고, 먹고살겄다고 헌담사 워떤 무지막지헌 놈이 고향 찾어온 사람을 쫓아 내자고 허겄어?"

"암, 그리고 마니!"

"옴짝달싹 못 허게 묶어 놓으면 으쩌겄소?"

덕칠이였다. 그는 봉구의 눈치를 살피며 말했다.

"묶어 놓으면 징을 치고 지랄 염병은 안 헐 거 아닌고?"

"자석이 말짱헐 때는 암시랑 안 허다가도 날씨만 꾸두럭헐라치면 발광이니……."

"그랑께 미쳤재."

"오늘 낮에도 나헌티 찾아와서는 여편네 찾으러 가겄담서 새끼를 좀 맡어 달라고 히등만."

"그럴 때는 제정신이 든겨."

"좌우당간에 낚시터에서 미친 놈이 징 치고 훼방친다는 소문이 나면 낚시꾼이 얼씬도 안 헐 거고, 그렇게 됨사 우리는 굶어 죽는 거 아닌가."

강촌 영감은 칠복일 쫓아 내자는 의견을 조금도 꺾지 않았다.

"그눔에 징을 뺏어서 물 속에 던져 베리까?"

"그러다 살인 나게?"

아무도 칠복이에게서 징을 빼앗지는 못했다. 며칠 전에도 그가 낚시꾼들 사이를 강변 덴 소 날뛰듯 하며 징을 두들기고 소리소리 질러, 방울재 사람들이 몰려가서 징을 빼앗아 감춰 버렸었는데, 그 때 칠복이는 눈을 허옇게 까뒤집고 쇠스랑을 휘두르며 징을 내놓지 않으면 찍어 죽이겠다고 어찌나 무섭게 어우르는지 그 바람에 슬그머니 두엄자리 속에 감춰 둔 것을 꺼내 주지 않았던가.

"병신 같은 놈, 제 여편네 단속을 그렇게 잘했더라면 뺏기지 않았을 것잉만!"

봉구는 램프불 주위에 새까맣게 달라붙은 벌레들을 멀뚱히 바라보며 한숨 섞인 목소리로 걱정이 되어 한 마디 뱉는다.

"오늘 밤에 당장 쫓아 베려!"

강촌 영감이 벌떡 일어나서 큰 소리로 내질렀다.

"쫓아 낸다고 갈 놈이우?"

"안 가겠다고 버티면 어쩔 거유."

덕칠이는 친구 된 입장이라, 참으로 난감하여 딱 부러지게 매듭을 짓지 못하고 봉구의 눈치만을 살피는 듯싶었는데, 봉구 역시 강촌 영감 말대로 당장 쫓아 내자는 말을 못하고 지싯지싯 말꼬리를 흐렸다.

"끌고 가서 차에 태워 보내 베려. 안 가겠다면 꽁꽁 묶어서 버스에 태우면 될 거 아니냐고!"

강촌 영감의 말에 모두들 아무 대꾸도 하지 못했다.

"조금 있으면 잠자리 찾어올 테니께, 그때 인정사정 볼 것 없이 쫓아
베리는 거여!"

이 때 칠복이가 아이를 등에 업고 고개를 길쭉하게 빼어 내밀어 봉구
네 술청 안으로 들어섰다. 그들 부녀는 비를 맞아 머리칼이 능수버드나
무처럼 휘주근하게 젖어 있었다.

"다들 여기 있었구만. 그리고 보니 옛날 봉구네 사랑방 친구들은 다
모였네그려."

칠복이는 아이를 평상에 내려놓고 손으로 머리의 빗방울을 훔쳐 뿌리
며 반가운 얼굴로 두렷두렷 주위 사람들을 살폈다. 모두들 아무 말도
없이 칠복이만을 물끄러미 쳐다보았다.

"어이 봉구, 우리 딸내미 식은밥 한 덩이 주소. 뱃속에 왕거지가 들앉
았는지 쥐창시만 헌 것이 밤낮 처묵어도 배가 고프다고 지랄이니!"

칠복이는 바보처럼 벌룸벌룸 이를 드러내 놓고 웃으며 스스럼없이 봉
구에게 한 마디 던지고는, 평상 모서리에 철부덕 걸터앉아 소맷자락으
로 촉촉하게 젖은 머리털을 닦고 문질렀다.

"칠복이 나 좀 보세!"

강촌 영감이 시비투의 가시 걸린 목소리로 칠복이를 불렀다. 칠복이
는 버릇대로 벌쭉 웃으며 강촌 영감 쪽으로 얼굴을 돌렸고, 봉구와 덕
칠이는 강촌 영감의 입에서 무슨 말이 나올 것이라는 것을 뻔히 알고
있는 터라, 고개를 돌려 외면하려고 하였다.

"저 불렀어유?"

"자네 말이시, 우리가 이러고라도 묵고사는 거이 배가 아픈가?"

"영감님……."

봉구가 강촌 영감의 옆구리를 찔벅거리며 심한 말을 막으려고 했다.

그 사이 까무잡잡한 얼굴에 광대뼈가 유난히 툭 불거진 봉구 아내가

결코 달갑잖은 얼굴로 칠복이 부녀의 상을 내왔는데, 그래도 밥그릇이 수북하고 반찬도 자기네 식구들 먹는 그대로였다.

"칠복이 자네는 정신이 멀쩡헐 때는 방울재 사람이 영락없는디, 정신이 나가면 꼭 옛날 우리 마을에 불두더지(불도저) 들이댄 공사판 사람 같당께로."

강촌 영감의 말에 칠복이는 왕방울눈을 꿈벅거릴 뿐이었다.

"어차피 고향이 없어졌는디, 고향 사람이라고 있겄는가? 자네 입장은 딱허지만두루 어쩔 수 없어."

강촌 영감은 여기까지 말하고 나서 괴로운 얼굴로 고개를 돌려 버린 채 말이 없었다.

"옘병헌다고 낚시질허는 디 가서 징을 치고 지랄여!"

마지못해 봉구는 혼자말처럼 입 안에서만 웅얼웅얼할 뿐이었다.

"당장 오늘 밤에 떠나게!"

"오늘 밤에유?"

칠복이는 뒤룩거리는 눈에서 왈칵 눈물이 쏟아질 것 같은 얼굴로 강촌 영감과 친구들의 얼굴을 번갈아 쳐다보았다.

"매정헌 사람이라고 헐지 모르재만, 오늘 밤 우리덜 정을 싹둑 짝두질허는 수밖에 도리가 없네."

강촌 영감도 내심은 칼로 심장을 도려 내는 것만큼이나 괴로웠다. 그는 말을 하면서 연신 담배를 삐억삐억 빨아 댔다.

"괜시리 없어진 고향 짝사랑허지 말어. 고향이고 여편네고 잊어뿔 건 냉큼 잊어뿌리야 살기가 쉬워!"

"강촌 영감님, 부탁입니다유. 지발 쫓아 내지만 마셔유. 다시는 훼방 치지 않겠구먼유. 이렇게 빌께유."

칠복이는 우르르 강촌 영감에게로 달라붙어 어깻죽지며 팔을 붙들고 애원하다가는 그대로 땅에 무릎을 꿇고 비대발괄 빌어 대는 게 아닌가.

이 모습을 본 봉구와 덕칠이, 강촌 영감까지도 목울대에 모닥불이 타오르면서 시울이 시큰시큰했다.

"안 가겠다면 덕석몰이를 혀서라도 내쫓을 꺼여!"

강촌 영감은 담배 연기를 허공에 토해 내며 결연히 말했다.

"봉구, 덕칠이, 팔만이 나를 내쫓지 말어. 고향에서 내쫓기면 워디로 갈 것인감. 이보게덜, 내 사정 좀 봐줘!"

칠복이는 무릎을 꿇은 채 친구들의 아랫도리를 두 팔로 덥썩 껴안으며 통사정을 해 보았으나 그들 방울재 친구들은 도시 말이 없었다.

칠복이는 소리 내어 울고 싶었으나 이를 앙다물고 참아 냈다. 강촌 영감의 말마따나 고향이 없어져 버린 판국에 고향 사람인들 남아 있을 리 없지 않겠느냐는 생각이 들었다.

그런데 이상한 일이었다. 칠복이 자신이 참 알 수 없는 일은 때때로 그의 눈에 방울재와 방울재의 옛 사람들이 너무도 선명하게 보이면서, 그가 영락없이 방울재 사람들과 한데 어울려 살고 있는 환각에 정신을 가늠할 수 없게 된 거였다. 방울재를 삼킨 호수의 물도 거대한 댐도 보이지 않고 낯익은 하늘, 반갑게 맞아 주는 마을 사람들만이 눈에 가득 들어오고, 그럴 때는 정월 대보름날 밤 메기굿을 할 때처럼 어깨가 들썩거리면서 경중경중 춤을 추고 싶어져 징을 찾아 들고 나서는 거였다.

그러다가 온몸이 흠뻑 땀에 젖은 채 정신을 차리고 보면, 방울재와 낯익은 사람들은 온데간데없고 호수의 물만이 그를 삼킬 듯 넘실거리고 댐은 더욱 하늘 닿게 높아지는 듯싶었다.

"자네 정신 발쌍허니께 허는 소리네민 좋은 얼굴로 헤어지세. 지발 부탁이니 지금 떠나도록 히여."

강촌 영감이 볼멘소리로, 그러나 약간은 사정조로 말하고 나서 칠복의 겨드랑이에 손을 넣어 일으키려고 했다.

"낼 아침 떠나라 허고 싶네만, 정은 단칼에 자르는 거이 좋은겨."

칠복이는 아이를 업고 천천히 일어서서 희끄무레한 램프 불빛에 비쳐 보이는 침울하게 가라앉은 마을 사람들의 얼굴들을 하나하나 가슴 속 깊이깊이 새기며 찬찬히 뜯어보았다. 그의 눈에서는 금방 눈물이 소나기처럼 주르륵 쏟아질 것만 같았다.

"핑 서둘러 나가면 광주 나가는 버스를 탈 꺼여!"

강촌 영감이 앞서 술청을 나가며 하는 말이다. 강촌 영감을 따라 칠복이가 고개를 떨구고 나갔고, 뒤이어 봉구와 덕칠이, 팔만이가 차례로 몸을 움직였다.

봉구네 주막에서 나온 그들은 칠복이를 앞세우고 미루나무가 두 줄로 가지런히 비를 맞고 늘어서 있는 자갈길 구 신작로를 향해 어둠 속을 걸었다. 그들은 아무도 입을 열지 않았다. 칠복이의 등에 업힌 그의 딸 아이가 캘록캘록 기침을 하자, 바짝 뒤를 따르던 봉구가 잠바를 벗어 덮어씌워 주었다.

빗방울은 점점 굵어졌고 호수를 훑고 온 물에 젖은 가을 바람에 으스스 몸이 떨렸다.

이따금씩 고속 도로에서 자동차들이 헤드라이트로 눅눅한 어둠의 이 구석 저 구석을 쿡쿡 쑤셔 대며 바람처럼 내달았다. 자동차의 불빛이 길게 어둠을 가를 때마다 칠복이를 앞세우고 걷는 방울재 사람들의 가슴이 마치 총을 맞는 것만큼이나 섬뜩섬뜩했다.

신작로에 당도해서 조금 기다리자 읍으로 들어가는 헌털뱅이 버스가 왔으며, 그들은 서둘러 차를 세우고 칠복이를 밀어 넣었다.

"징헌 고향 다시는 오지 말어."

봉구가 천 원짜리 두 장을 칠복이의 호주머니에 푹 쑤셔 넣어 주며

울먹울먹한 목소리로 말했다.

칠복이가 무슨 말인가 하는 것 같았으나 부르릉 버스가 굴러가는 바람에 알아들을 수 없었다.

그들은 버스가 어둠 속에 묻히고 자동차 불빛이 보이지 않게 되어서야 말없이 돌아섰다.

한사코 가기 싫다는 칠복이 부녀를 억지로 버스에 태워 쫓아 보낸 그날 밤, 방울재 사람들은 잠을 이룰 수가 없었다. 후두둑후두둑 빗방울이 굵어지고 땅 껍질 벗겨 가는 소리가 드세어질 무렵, 봉구는 잠결에 아슴푸레하게 들려오는 징 소리에 퍼뜩 놀라 일어나 앉았다.

"아니, 이 밤중에 무신 징 소리당가?"

그는 마른기침을 토해 내고 삐그덕 방문을 열어, 송곳 하나 박을 틈도 없이 꽉 들어찬 어둠의 여기저기를 쑤석여 보았다. 어둠 속 어디선가 딸을 업은 칠복이가 후줄근하게 비에 젖은 채 바보처럼 벌쭉벌쭉 웃으면서 불쑥 나타날 것만 같았다.

그는 문을 안으로 걸어 잠그고 자리에 들어 아내의 툽상스러운 허리를 꼭 껴안고 잠을 청하려고 했으나, 땅 껍질을 두드리는 빗방울 소리 사이사이로, 징 소리가 쉬지 않고 큰 황소 울음처럼 사납고도 구슬프게 들려왔기 때문에 잠시도 눈을 붙일 수가 없었다. 어쩌면 바람 소리와도 같은 그 징 소리는 바로 뒤란의 아카시아 숲께에서 가깝게 들린 것 같다가도 다시 댐 쪽으로 아슴푸레 멀어져 가곤 했다.

"바람 소린지, 징 소린지."

봉구는 벌떡 일어나 더듬더듬 담배를 찾아 성냥불을 붙였다. 그는 좀처럼 잠을 이루지 못하고 몇 빈인가 누웠다 앉았다 하며 담배만 피웠다. 자꾸만 귓바퀴를 후벼파고 들려오는 징 소리가 오목 가슴 깊숙이에 가시처럼 걸린 때문이었다.

이 날 밤, 팔만이도, 덕칠이도, 강촌 영감도 다 같이 방울재 안통 여기저기서 쉴 새 없이 들려오는 징 소리 때문에 한숨도 잠을 이루지 못하고 뒤척였다.

징 소리는 점점 더 가깝게, 그리고 때로는 상여 소리처럼 슬프게 들렸는데, 그 소리에 잠을 이루지 못한 방울재 사람들은, 그게 어쩌면 그들한테 쫓겨난 칠복이의 우는 소리일지도 모른다는 생각들을 다 같이 했다. 그 생각과 함께 징 소리가 더욱 무서워졌으며 아침을 맞기조차 두려웠다.

미명의 하늘

비록 땅에 떨어져 발에 밟히는 낙엽처럼 시들어 버린 사람일지라도, 누구와 싸울 힘이 남아 있다는 것은, 어떤 어려움 속에서도 살아갈 용기를 가졌다고 할 수가 있다. 싸울 힘마저 잃어 버렸을 때가 가장 절망적이다. 원망도, 한도, 앙칼스러움도 앙금처럼 가슴 밑바닥에 가라앉아 버린 사람이라면 그나마 생명도 없이 무감각하게 짓밟히는 돌멩이와 다를 바 없다. 체념과 한숨은 죽음과 가깝다. 원망과 한은 생명의 뿌리이며 희망이기도 하다.

김덕주 씨가 점례의 싸우는 광경을 보고 일단은 마음을 놓은 것도 그 때문이었다.

김덕주 씨가 31년 만에 양공주촌에서 오점례를 다시 보게 되었을 때, 그녀는 자신보다 대여섯 살쯤 나이 들어 보이는, 회갑 안팎의 겨릅대처럼 깡마르고 왜소한 초로 여인과 싸움을 하고 있었다.

덕주는 첫눈에 그녀를 알아보았다. 쌍스러운 욕지거리를 거칠 것 없이 물을 뿜듯 펌프질해 대는 점례의 목소리는 젊었을 때처럼 목이 찢어지는 듯한 때까치 소리를 냈으며, 오른쪽 눈 밑에 먹물을 찍어 놓은 것 같은 까만 점이 쉽게 그녀를 알아볼 수 있게 해 주었다.

옛날 고향 어른들은 점례의 그 때까치처럼 꺽꺽 울리는 목소리 때문에 팔자가 꺽지처럼 뻣세고, 눈물을 받아먹는 검은 사마귀가 있어 늘

외롭고 슬프게 살아갈 것이라고들 했었다. 그들은 점례의 삶을 미리 앞질러 보기라도 한 것처럼 말했다. 그런 점례의 얼굴은 늘 슬퍼 보였었다.

점례가 덕주를 싫다 하고 장터 마을의 장돌뱅이 소금 장수한테 시집을 갔을 때, 덕주 어머니도 그런 말을 했었다. 점례는 사내를 수도 없이 잡아먹고 과부가 될 팔자라는 것이었다. 그러면서 그의 어머니는 점례의 휘움한 안개 눈썹과 입바람을 부는 것 같은 그녀의 뾰족한 취화구에 대해서도 정이 너무 헤프다거니 인덕이 없다거니 좋지 않게 말을 했다.

지난 30여 년 동안 점례의 삶은 덕주 어머니의 예언대로 거의 들어맞았다. 그러나 덕주는, 점례가 그렇게 된 것은 그녀의 팔자가 그렇게 정해진 것이 아니라, 순전히 그의 탓이었다는 것을 알고 있다. 31년 만에 애써 점례를 찾은 것은 불행하게 된 그녀 앞에 그의 죄를 털어놓고 용서를 받고자 함이었다.

점례와 깡마른 노파가 싸움을 하고 있는 하숙옥 앞의 공터에 공주촌 사람들이 예닐곱 몰려들었다.

공주촌은 광주에서 포주읍으로 가자면 읍 조금 못 미처 극락교를 건너기 전, 4차선의 고속화 도로가 흑갈색의 쪽판처럼 곧게 뻗은 큰길에서, 비포장 황톳길로 꺾어 들면 아파트촌이 있고, 그 아파트촌에서 밋밋한 산등성이 쪽으로 200미터쯤 되는 거리에 재개발을 기다리는 폐촌처럼 을씨년스럽게 웅크리고 있다.

마을의 들머리에 시골 농협 창고 같은 목욕탕이 있으나, 미군 부대가 떠나고, 부대가 있던 그 자리에 아파트촌이 들어서면서부터 문을 닫았고, 문짝마저 떨어져 나간 목욕탕 건물 옆에는 돼지우리처럼 칸막이 방들이 즐비하게 잇대어 있는 단층 바라크의 하숙옥이 여름 한낮의 더운 햇살 속에 길다랗게 뻗대어 있었다. 하숙옥 앞에는 유리가 빨간 페인트 칠을 한 술집의 하늘색 포렴이 찢어진 깃발처럼 펄럭였고, 술집 옆에는 담배 간판이 붙은 구멍가게와 세탁소, 이발소, 미장원이 도토리 키재기 하듯 어깨를 바짝 대고 있었다.

공터는 이들 낡은 목욕탕 건물과 하숙옥, 술집, 구멍가게, 세탁소, 이발소, 미장원의 한가운데에 있었다. 미군 부대가 옆에 있었을 때까지만 해도 이 공터엔 미군 지프와 트럭들이 빠져 나갈 틈도 없이 빼곡하게 주차를 했으며, 창고 같은 목욕탕의 굴뚝에서는 젊은 욕망의 뜨거운 입김처럼 검은 연기가 하늘로 줄기차게 솟았고, 하숙옥에서는 군화 발소리와 알아들을 수 없는 지껄임, 배고픈 창자를 빨래처럼 비틀어 쥐어짜는 듯한 여자들의 웃음소리가, 공터에까지 낭자하게 흘러나왔다. 술집도 세탁소도 구멍가게도 이발소도 미장원도 온통 벅신거렸었다.

"개만도 못한 녀언! 양갈보질 20년에 누렁이, 깜둥이, 흰둥이 가지각색 골고로 새끼들을 퍼질러 나 놓고도 부끄러운 줄도 모르고 지랄이여 지랄이! 점례 네년은 얼굴에 개가죽을 둘러쓴 게여, 그러니께 늙어 곯아빠져 갖고도 이 마을을 떠나지 않는 게여!"

깡마르고 키가 작은 초로 여인이 탱글탱글 유리 조각이 깨지는 목소리로 욕질을 하였다.

"힝! 똥 묻은 개가 재 묻은 개 나무라고 자빠졌네! 네년은 영자 춘자 두 딸년 양공주 안 맹글았냐? 서방 가진 년이 뭣이 부족해서 두 딸년을 양갈보로 팔아묵어? 그래 부부간에 코 큰 놈덜 똥 구르마 끌다 봉께 그 놈덜 똥까지도 좋아 뵈더냐? 그랑께 딸을 하나도 아니고 둘씩이나 양갈보질을 시켰구만!"

점례도 지지 않고 장작 패는 목소리로 욕지거리를 퍼부어 대며, 당장 춘자 어머니의 머리끄덩이를 잡이 동댕이를 칠 듯이 두 손을 휘저었다.

구경을 하고 있는 마을 사람들 중에서 아무도 싸움을 말리려고 하지 않았다.

두 여자의 싸움은 좀처럼 끝나지 않았고 오물을 토하는 듯한 더러운 욕설은 팽팽한 햇살과 함께 잘 버무려져 칙칙한 여름의 열기를 더욱 뜨겁게 하였다. 두 여자는 서로의 과거를 난도질했고, 쟁기의 날카로운 보습으로 갈아엎어 놓은 듯한 자신들의 지나온 삶에 대해 부끄러움을 느끼는 대신, 힘이 더욱 살아난 듯 오히려 앙칼스러워졌다.

구경하는 마을 사람들은 그들의 욕설이나 서로의 약점을 까발린 내용에 대해서는 흥미를 느끼지 못했다. 마을 사람들은 그들 두 여자의 과거와 현재를 자신들의 손바닥 들여다보듯 환하게 알고 있었기 때문이다. 마을 사람들은 차라리 그들 두 여자가 빗물이 질컥하게 괴어 있는 공터의 진흙 바닥에서 한바탕 붙들고 뒹굴기를 기다렸다. 그러나 그들은 두 여자가 언제나 그랬듯이 똑같은 욕지거리를 푸짐하게 쏟아 놓는 것으로 싸움을 끝내게 되리라는 것을 알고 있었기 때문에 한바탕 엉클어지게 되리라는 것은 기대하지 않은 것인지도 몰랐다.

구경꾼들 중에서 심장이 찐득거리도록 흥미를 느끼는 것은 덕주 혼자뿐인 듯싶었다. 그는 담벽도 대문도 없이 앞이 툭 터진 하숙옥 옆, 목욕탕 건물의 그늘에 무릎이 저리도록 쪼그리고 앉아서 점례와 춘자 어머니라는 여자가 뱉어 내는 욕지거리들에 열심히 귀를 기울였다. 그는 곧 더 자세한 이야기를 듣지 않아도 점례가 살아온 과거를 선명하게 떠올릴 수 있을 것 같았다.

"양코배기 똥이나 퍼 주고 살았음시롱 뭣이 잘났다고 지랄이여!"

"그래, 양코배기 똥 구르마 끄집어서 우리 식구 안 굶어 죽고 살았다. 으쩔래! 그래도 네년 모양으로 누렁이, 껌둥이, 흰둥이는 낳지 않았나. 으찔래!"

"나도 그 짓 해서 시부모님 자식 새끼들 멕여 살렸다, 왜?"

"양갈보짓 해서 시부모님 멕여 살렸응께 양갈보 효부 났구만그려!"

"양코배기 똥 퍼 주고 묵고 살었으면 그만이재, 두 딸년은 왜 양갈보를 맹글어!"

"그것들도 묵고살라고 그랬단다, 으쩔래! 애비 에미 똥 푸는 짓 못 허게 헐라고 말이여!"

"힝, 효녀 심청이가 둘이나 나왔구먼!"

"네년의 껌둥이 흰둥이 새끼덜은 뭣이 잘났다고 자랑이여, 그까짓 것덜도 자식이라고 자랑을 혀? 아이고 오메, 하늘 부끄르와라!"

"왜 자식이 아녀? 이 에미헌티 을매나 잘 허는디!"

점례는 결코 지지 않았다. 갈수록 힘이 더 솟구치는 것처럼 보였다. 점례와 춘자 어머니가 언제나 티격태격 싸움을 하게 된 발단은, 마을 사람들한테 미국에 가 있는 서로의 자식들 자랑을 하다가 시비가 붙곤 한 것이었다. 점례의 검둥이 흰둥이 두 아들이 미국으로 아버지를 찾아 간 것처럼, 양공주가 된 영자 춘자도 흑인 병사를 따라 태평양을 건넌 것이다.

덕주는 떨리는 손으로 담배에 불을 붙여 물고 연기를 빨다가 심한 기침을 쏟고 말았다. 기침 소리에 마을의 구경꾼들 시선이 일제히 그에게로 쏠려 왔다.

담배를 구두로 문질러 끄고 조심스럽게 숨을 쉬었으나 기침은 멎지 않았다. 기침 소리에 가슴이 컹컹 울리는 것만 같았다.

덕주가 목욕탕 건물의 엷은 그늘 밑에 쭈그리고 앉아서 두 어깨를 들먹이며 고개를 세운 무릎 사이로 꿍겨 박고 버르적거리듯 기침을 토해 내고 있을 때 담배 가게 앞에서 자랑스럽게 햄버거를 먹고 있던 초로 여인의 남편 춘자 아버지가 공터로 천천히 걸어 나와 그의 부인을 끌고 갔다.

춘자 아버지는 오른손에 햄버거를 들고 왼손으로 부인의 손목을 잡은 채 집으로 돌아갔다.

그렇게 싸움이 끝나자 기침도 멎었다.

싸움이 끝나고 점례가 두 팔을 휘저으며 공터에서 마을 안길로 사라지자, 하숙옥의 여주인은 유일한 투숙객인 덕주에게 다가와서, 두 여자의 욕설에서 들을 수 없었던, 그녀들이 살아온 과거를 양파 껍질 벗기듯 더 자세하게 이야기를 해 주었다.

하숙옥의 여주인한테서 점례에 관한 자세한 이야기를 듣고 난 뒤, 죄책감에 오그라든 덕주의 심장은 꺼져 가는 생명처럼 가까스로 팔딱거렸다. 그는 차마 고개를 쳐들고 태양을 마주 보기조차 부끄러웠다.

그는 다시 기침을 쏟으며 비틀거리는 걸음으로 하숙옥의 음습하고 무더운 방으로 뛰어들어갔다. 담배 연기로 칙칙하고 희누르스름하게 색깔이 바랜, 무덤 속 같은 직사각형 방의 벽지 틈새에, 알아들을 수 없는 미군들의 지껄임과 배고픔에 헐떡거리는 점례의 숨소리가 땟자국처럼 배어 있는 듯싶었다.

덕주는 그 동안 점례의 목숨이 시나브로 꺼져 가는 듯한 비명을 수없이 들으면서 살아왔다. 그녀의 비명은 보이지 않는 원한의 날카로운 화살로 그의 심장에 무수히 꽂혀 왔으며, 그 때문에 그의 지난 삶의 절반은 활터의 과녁처럼 고통의 구멍들이 수없이 숭숭 뚫리게 되었다.

그가 살아온 58년의 생애에서, 6 · 25까지의 스물다섯 해는 죄를 짓는 기간이었고, 나머지 서른세 해 중에서 절반은 괴로운 양심의 가책으로, 그리고 지난 십 수년간은 점례를 찾아 헤매느라고 방황하다 지쳐 버렸다.

그러나 그가 섬례를 찾아 나선 것은 그 자신을 위한 처사였다. 이미 그는 점례를 위해서 아무것도 할 수가 없었고, 속죄의 대가로 그녀에게 베풀어 줄 아무것도 갖고 있지 않았다. 그가 할 수 있는 것이란 그녀에게 용서를 비는 것뿐이었고, 그렇게라도 하지 않으면 차마 눈감고 죽을 수가 없었기 때문이었다. 그러니 점례를 찾아 나선 것은 수치스러운 이기심이 아니겠는가.

점례의 원한 맺힌 화살은 덕주가 살인죄로 15년 동안 형무소의 감방에 갇혀 있을 때도 그 두꺼운 벽을 뚫고 비명처럼 그의 심장에 꽂혀 왔다. 그리고 15년 만에, 차표만 있으면 어디든지 갈 수 있게 되었을 때도, 그녀의 화살은 하늘에서 혹은 인파가 북적대는 대낮의 큰 거리에서, 근로자 합숙소의 천장과 벽에서 쉴 새 없이 그의 심장과 눈과 목줄기를 향해 푸른 칼날이 허공을 베는 소리를 내며 무섭게 날아왔다.

피붙이라고는 아무도 없고, 이미 그의 얼굴조차도 알아보지 못하는 사람들만 살고 있는 고향 달밭[月田里]에 가 봤지만 점례의 행방은 알아 낼 수가 없었다. 6·25가 끝나고 줄포에 미군이 머물게 된 뒤 달밭을 떠나 양공주가 되었다는 것뿐이었다. 그 후 십 수년 동안 버려진 비닐 봉지처럼 병들고 지친 몸으로 막일 공사판을 떠돌음하다가, 우연히 점례의 먼 친척 되는 사람을 만나 그녀가 살고 있는 곳을 알게 된 것이었다.

덕주는 하루 전에 공주촌인 이 곳 하숙옥에 들어왔으며, 점례가 살고 있음을 확인하고도 차마 그녀 앞에 얼굴을 나타내지 못하고 몸과 마음을 웅크리고만 있던 중이었다.

덕주는 25년 전에 살인을 하였다. 아내를 죽인 것이다. 그런데 이상하게도 그가 죽인 아내한테는 그렇게 심한 죄책감을 느끼지 못했다. 그가 점례한테 저질렀던 잘못에 비한다면 아내의 죽음은 오히려 당연한 것처럼 여겨지기까지 하였다. 어쩌면 아내를 죽인 죄과까지도 점례에 대한 잘못으로 가중된 것인지도 모른다.

아내는 그를 배신했다. 지서에서 당직 순찰을 하던 날 밤, 몸이 풀어 놓은 실타래처럼 나른하고 찌뿌드드해서, 기운을 돋우느라 소주 몇 잔

마시고 일찍 집에 돌아와 보니, 아내는 그의 상사인 지서장과 함께 벌거숭이가 되어 뒤엉켜 있었다. 그는 메고 있던 총의 방아쇠를 잡아당겼는데 아내만 죽고 지서 주임은 이불을 뒤집어쓴 채 부엌문을 박차고 뛰어나가 살아났다.

그는 아내를 죽인 것도 점례한테 저지른 죄업이라고 생각했다.

남쪽으로 밀려 내려갔던 경찰이 돌아와, 지리산 공비 토벌 작전이 시작되었을 때, 면당 인민위원을 지낸 점례의 남편은 집에 숨어 있었다.

지서의 순경이었던 덕주는 점례의 남편이 그의 집 벽장에 숨어 있다는 정보를 입수하였다. 점례네 뒷집에 사는 절뚝발이 통메장이가 덕주에게 밀고를 해 왔을 때, 그는 문득 1년 전 겨울 그녀를 기다리며 밤새도록 각시바위 모퉁이 상엿집에서 떨었던 일이 떠오르면서, 온몸이 달빛에 흥건하게 젖는 순간처럼 짜릿한 쾌감을 맛보았다. 그 날 밤에는 온통 하늘이 무너져 내리는 것처럼 눈이 내렸었다. 장터 마을 장돌뱅이 소금 장수한테 시집을 가기로 결정을 한 점례를 마지막으로 한 번만 더 만나 보고 싶었지만, 끝내 그녀는 나와 주지 않았다. 밤새도록 떨며 오지 않는 점례를 기다리다가 지쳐 우북이 눈에 묻혀 집으로 돌아오면서, 덕주는 싸늘한 복수를 생각했다. 그 날 밤 이후 그의 심장은 겨울의 산처럼 비정하게 얼어붙어 버렸는지도 몰랐다.

서울이 탈환되고, 그가 부산에서 고향에 다시 돌아왔을 때는, 집에 남아 있었던 어머니와 동생이 경찰 가족이라는 이유로 생명을 빼앗긴 뒤였는지라, 덕주는 이미 사람이 아니었다.

작전이 연일 계속되었기 때문에, 수면 부족으로 두 눈은 언제나 진달래 꽃잎처럼 벌겋게 핏발이 섰고, 신경줄은 바스락히는 소리만 들려도 방아쇠를 긁어 당길 것처럼 팽팽하게 긴장되었다. 마을 사람들은 그런 덕주를 피했다. 그가 낮에 총을 메고 술에 취해 달밭에 나타나면 마을 사람들은 고샅에도 나오지 않고 집 안에만 틀어박혀 있었다.

그 무렵 통매장이한테서 밀고를 받은 덕주는, 새벽에 혼자 총을 메고 달밭에서 2킬로쯤 떨어진 장터 마을 점례네 집을 기습하여 점례의 방으로 뛰어들어갔다. 점례 혼자 자고 있었다. 그러나 덕주는 점례의 남편이 벽장 속에 숨어 있다는 것을 알고 왔으므로 실망하지 않았다. 총부리로 이불을 걷고 점례의 얼굴에 플래시를 비췄다. 점례는 두 팔로 가슴을 붙안은 채 학질을 앓는 것처럼 떨었다. 눈물을 받아먹고 큰다는 눈 밑 검정 사마귀까지도 파르르 떨고 있는 것 같았다. 손전등 불빛 속에서 몸을 웅크릴 수 있는 데까지, 조그맣게 웅크리고 떨고 있는 점례는 사람이라기보다 한 마리의 흰 토끼처럼 보였다. 떨고 있는 그녀 옆에는 돌이 지나지 않은 아기가 비둘기 날개 같은 얼굴로 자고 있었다.

덕주는 벽장문을 열어젖히고 총구와 플래시 불빛을 동시에 들이댔다. 점례의 남편은 두 발을 쭉 펴고 잠들어 있다가, 덕주가 손전등의 불빛으로 얼굴을 비추며 총부리로 옆구리와 머리를 쿡쿡 찌르자, 소금물 먹은 미꾸라지처럼 사지를 휘저으며 일어나 앉았다. 덕주는 총부리를 점례 남편의 양미간 살가죽에 갖다 대고 낮게 다그치는 목소리로 벽장에서 내려오라고 하였다.

점례의 남편이 벽장에서 생각보다는 침착하게 내려오자, 덕주는 준비해 간 철사줄로 그의 두 손목을 묶고 펜치로 죄었다. 두 다리도 묶었다. 철사줄이 살 속으로 파고들어갈 만큼 펜치로 바짝 죄자 그는 아픔을 참지 못하고 짧게 비명을 질렀다. 그의 손과 발을 묶은 다음에는 점례가 벗어 놓은 버선짝을 입 속에 처넣었다. 덕주가 그녀의 남편을 철사줄로 묶고 있는 동안 점례는 떨고만 있었다. 덕주는 손발이 묶인 채 무릎을 꿇고 앉아 있는 그녀의 남편을 발로 걷어찼다. 그는 굼벵이처럼 방 옆으로 넘어졌다. 덕주는 이불로 그를 덮어씌웠다. 그리고 손전등 불빛으로 물총 쏘듯 점례의 얼굴에 퍼붓고 나서 덕주 자신의 얼굴에 비췄다. 점례한테 자신을 알리고 싶었기 때문이다. 그러자 점례는 비명과도 같은 경악의 소리를 토해 냈다. 덕주는 그 소리에 뼛속으로부터 피어오르는 것 같은 쾌감을 맛보았다. 그는 잔인하고 흉측스럽고 만족한 미소를 쥐어짰다. 그리고 총과 손전등을 방바닥에 놓으며 점례를 덮쳤다. 그녀는 남편을 살려 달라고 애원했다. 그를 알아본 순간부터 그녀는 떨지 않았다. 덕주는 그가 하자는 대로만 하면 남편은 살려 주겠노라고 약간 누그러진 목소리로 말했다. 그녀는 처음엔 몸을 새우처럼 도사리며 심하게 버둥거렸으나, 남편을 살려 주겠다고 되풀이한 말에 체념한 듯 그가 하는 대로 가만히 있었다. 그는 점례의 배 위에서 그녀의 남편이 온몸을 흔들어 이불을 들썩이며 끙끙거리는 소리를 들었다. 그리고 점례가 울음을 터뜨리기 전에 왼손으로 바지를 올리고 오른손으로 총을 들며 밖으로 나왔다.

그 뒤 덕주는 지리산 공비 토벌 작전에 참가했으며, 그로부터 석 달이 지나 산천이 그의 마음처럼 황량하고 냉혹하게 얼어붙어 버린 한겨울, 눈에 핏발이 가시지 않은 채 고향에 돌아왔을 때, 점례의 남편이 죽었다는 사실을 알았다. 덕주가 토벌대가 되어 떠난 다음 날, 자기 집 감나무에 목을 매달아 스스로 죽었다고 하였다.

덕주는 그 때 점례 남편의 죽음에 아무런 양심의 가책을 느끼지 못했다. 하루하루의 삶이 죽음의 한가운데 있었기 때문이었다. 그는 죽음을 너무 많이 보아 왔고 자신도 토벌 작전을 하다가 어느 순간에 죽게 될지도 모른다고 생각했다. 그는 그의 총에 맞아 죽은 사람들의 수를 헤아리기에노 지쳐 있었다. 총에 맞아 죽은 사람들의 얼굴을 기억한다거나, 그 수를 헤아리고 있다는 것이 너무도 무의미하게 생각되어졌다. 그는 이미 거의 본능적으로 방아쇠를 잡아당기고 있었다. 총은 그의 주먹이나 발처럼 느껴졌고, 주먹질을 하거나 발길질을 하는 기분으로 방아쇠를 잡아당기곤 하였다. 때로는 그의 온몸이 총으로 변해 버린 듯한 착각에 빠지기도 하였다. 그렇게 되자, 총과 그 자신을 구별하기조차 어려웠다. 그 무렵 그가 믿을 수 있고 사랑하는 것이란 오직 그의 무기뿐이었다. 그의 무기는 어떤 경우에도 그를 배신하지 않았다.

점례는 남편이 죽은 여덟 달 후에 사내아이를 낳고, 한 달쯤 있다가, 시부모와 두 어린아이들을 남겨 둔 채 집을 나가 버렸다.

덕주는 점례가 집을 나가서 돌아오지 않고 있다는 소문을 듣고도 아무런 마음의 동요도 느끼지 못했다. 설사 그녀가 남편의 뒤를 따라 스스로 목숨을 끊었다고 해도 조금도 언짢아할 그가 아니었다.

달밭과 장터 마을 사람들은, 점례 남편이 목을 매 죽은 것도, 점례가 젖먹이 아이를 버려둔 채 집을 나간 것도 모두 덕주 탓이라는 것을 알고 있었다. 그러나 그들은 덕주를 비난하는 말 한 마디 뱉어 내지 못했다. 대낮부터 술을 마셔 목에 힘을 주어 불콰해진 얼굴을 바짝 쳐들고 마을 사람들 앞을 활개치고 다녔다.

그가 두 볼에 도화꽃이 핀 해반들한 여자와 결혼을 하여 지서가 있는 마을로 옮긴 것은 점례가 집을 나가고 2년쯤 지나서였다. 그 때까지도 점례는 돌아오지 않았다. 그러나 집에는 돌아오지 않는 대신 그녀의 시부모한테 매달 꼬박꼬박 네 식구가 살아갈 만큼의 돈을 부쳐 오고 있었다. 얼핏 바람결에 들려오는 이야기로는 술집 작부가 되었다고도 하였고, 갈보짓을 한다는 말도 있었다. 그러나 덕주는 점례가 갈보가 되었거나 거렁뱅이가 되었거나 관심을 갖지 않았다. 그가 얻은 도화색 핀 여자가 점례보다 훨씬 더 잘나고 나긋나긋했기 때문이다.

다시 기침이 쏟아졌다. 목구멍을 쥐어짜는 것 같기도 하고 쇠갈퀴로 목구멍에서부터 창자까지 피가 나도록 긁어 대고 있는 것만 같았다. 기침 소리가 그의 귀에는 마치 깊은 골짜기를 쨍글쨍글 울리는 총 소리처럼 들렸다. 총구에서 불을 뿜듯 계속 기침이 쏟아졌다. 그는 기침 소리가 밖으로 크게 새어 나가지 않게 하려고 배를 방바닥에 깔고 엎디어 두 손으로 어깨를 힘껏 끌어안고 가슴팍에 얼굴을 묻었다. 보건소에서 무료로 준 약이 호주머니에 있었으나 먹지 않았다.

얼마 후 기침이 멎자, 방 안은 한바탕 교전이 끝난 골짜기의 고즈넉한 정적처럼 조용했다. 그는 방문을 열고 밖으로 나가면서 벽에 걸려 있는 거울을 들여다보았다. 한바탕 기침을 토하고 난 뒤라 얼굴이 구절초 꽃잎처럼 노래졌다. 두 눈 속까지도 노랗게 물든 것처럼 보였다. 그의 눈에 이미 핏발은 가셔 버린 지 오래였다. 어쩌면 눈에 핏발이 사라진 뒤부터 그가 낙엽처럼 무기력해져 버렸는지도 모른다. 그가 점례한테 저질렀던 일을 뼈저리게 후회하기 시작하면서부터 두 눈의 핏발이 점차 사라져 갔다.

덕주는 구두를 꿰고 하숙옥 앞 공터로 나갔다. 사흘 밤의 숙박비를 지불했기 때문에 하숙옥의 뚱뚱한 여주인은 그의 외출에 신경을 쓰지 않았다. 목욕탕 건물의 그늘 밑에 조금 전 점례와 싸움을 하던 할망구를 끌고 간 춘자 아버지가 블록 벽에 어슷하게 기대서서 아이들처럼 햄버거를 먹고 있었다. 그는 나이에 어울리지도 않게, 미국에 있는 딸이 보내 주었음 직한, 독특한 해작 바지에 색깔이 알록달록한 반팔 셔츠를 받쳐 입었으며, 양말을 신지 않은 맨발에 흰 고무신을 꿰고 있었다.

하숙옥의 뚱보 여주인의 말로는, 춘자 아버지는 아이들처럼 햄버거를 들고 다니며 마을 사람들 보는 앞에서 먹는 것을 큰 자랑으로 여긴다고 하였다. ㄱ 때문에 옛날 똥장군을 끌고 미군들의 똥을 푸고 살 때는 마을 사람들이 그를 조 장군, 조 장군 하며 불렀는데 요즘에는 조 햄벅, 조 햄벅 한다는 것이었다.

덕주는 어울리지 않는 이상한 옷차림을 하고 햄버거를 맛있게 먹고 있는 그가 마치 유랑 극단에 나오는 바보 주인공 같은 생각이 들어 마음 속으로 피식피식 웃었다. 어쩌면 그는 일부러 햄버거를 들고 다니며 마을 사람들이 보는 앞에서 자랑스럽게 먹는 것으로 하여 미군들의 똥을 퍼 주고 살았던 과거의 기억들을 잊어 주기를 바라고 있는 것인지도 몰랐다.

하숙옥의 뚱보 여주인 이야기로는 요즈막 그들 부부는 흑인 병사를 따라 미국에 간 두 딸들 덕으로 집도 이층 양옥으로 새로 짓고, 먹는 것 입는 것 걱정 없이, 조 햄벅이라고 부르는 것을 즐거워하며 산다고 하였다.

덕주는 조 햄벅의 앞을 지나, 여름 한낮의 햇살이 빈틈없이 가득 괴어 있는 공터를 가로질러, 때묻은 하늘색 포렴이 펄럭이는 술집으로 향했다. 점심 대신 소주나 한잔 마시고 싶어서였다.

술집 안은 밖에서 보기와는 너무 딴판이었다. 생각보다 널찍한 홀에는 좌판 대신에 비록 때가 묻고 비닐 커버가 너덜너덜 떨어지긴 했어도 낡은 나무 의자와 빨간 페인트를 칠한 탁자들이 여러 개 적당한 간격으로 있었다.

네 벽마다에는 외국의 여자 배우들 사진과 누드 사진들이 촘촘히 파리똥이 박힌 채 여러 개 붙어 있었고, 반원의 카운터 위에선 낡은 선풍기가 덜컹거리며 돌아갔다. 밖에서 보기엔 시골의 주점같이 생각되었으나 안은 도시의 바처럼 꾸며져 있었다.

출입구의 밑 창문을 열어 놓았는데도 술집 안은 어두컴컴했다. 술을 마시는 손님들은 하나도 없었고, 마을에 사는 초로 여인네들 넷과 옆집 세탁소 남자, 이발소 주인 등 예닐곱 명이 선풍기를 둘러싸고 앉아서 잡담을 하고 있었다. 술집이라기보다는 복덕방 같은 분위기였다.

덕주는 그들과 떨어진 구석 자리에 앉았다. 주인인 듯싶은 점례 나이 또래의 50대 여자가 다가와 선 채 말없이 덕주를 내려다보았다. 여자에게서 화장 냄새가 역겹도록 풍겼다. 그는 나이에 어울리지 않게 아이새도를 검게 칠하고 립스틱까지 발랐다. 덕주가 소주 있느냐고 했더니 말없이 돌아섰고 잠시 후에 두 홉들이 소주 한 병과 작은 유리 술잔, 된장에 오이를 썰어 박은 접시를 놓고 갔다.

덕주가 두 잔째 술을 비우고 있을 때, 뜻밖에 점례가 술집 안으로 들어섰다. 그녀가 들어서자 선풍기를 둘러싸고 앉아서 큰 소리로 잡담들을 늘어놓고 있던 마을 사람들이 자리를 비워 주며 반갑게 맞았다. 점례는 점심을 막 먹고 오는 것인지 술집에 들어서자 카운터에 놓여 있는 성냥통에서 성냥개비 하나를 집어 허리를 동강내더니 쩝쩝 입맛을 다셔대며 이빨을 쑤셔 댔다. 덕주는 점례가 그를 알아볼까 두려워 애써 고개를 숙였다.

"아이, 옥자야, 나 쐬주 한 벵 주라!"

점례는 의자를 끌어다 선풍기와 가까운 탁자 옆에 비집고 앉으며, 술집 여주인에게 소리쳤다.

"쪼니 워까 시절이 그리워서 몸쌀이 나겄당께! 우리헌테는 그 때가 황금 시절이었든개벼!"

점례는 그러면서 옆에 앉은 세탁소 남자의 와이셔츠 호주머니에서 담배를 낚아채듯 하여 뽑아 필터를 잘근거리며 입에 물고 불을 댕기며 큰 소리로 말했다.

"점례 저 잡것, 또 바다 건너간 쌕스폰쟁이 쪼지 생각이 나는 모양이구나."

두 홉들이 소주 한 병과 안주 접시를 들고 나오며, 술집 주인이 비아냥거렸다.

"쪼지 생각도 간절허고, 토미 놈도, 쩩도, 무하마뜨도, 로버뜨도, 리 짜드도……. 그 엠병헐 놈들이 다 환장허게도 그립당께. 그래도 말이 여, 젤루 그리운 건 역시 첫사랑이당께! 내 팔자를 개 창시처럼 횟가 닥 뒤집어 놓은 그 남자……."

점례는 타는 담배를 탁자 위에 놓고, 소주를 거푸 두 잔째 숨 돌릴 여 유도 없이 목구멍으로 털어넣더니, 술병과 잔을 옆에 앉은 세탁소 남자 앞으로 옮겼다.

"한 잔씩 빨어! 어야, 옥자야, 쐬주 한 벵 더 있어야 쓰것다. 쪼니 워 까는 못 마셔도 쐬주라도 빨자. 이 집도 쪼니 워까 시절이 좋았 제……."

"대낮부터 무순 술을……. 아까 춘자 어메흐고 쌈 해서 목구멍에서 불나는 모양이구만!"

좌중의 여자들 가운데서 누구인가 말했다.

"옥자야, 언능 술 더 갖고 와! 이 마을에서는 그래도 이 오점례 신세 가 상팔자 아니여? 그까짓 똥장군 조 햄벅이네보담이야 낫제! 미국에 간 깜둥이 흰둥이 두 아들이 출세해 갖고 매달 에미 용돈으로 100딸 라씩 보내 주것다, 본남편한테서 난 큰아들 서울에서 택시 운전수 허 것다, 두째놈 싸우디 가서 돈 벌것다, 내가 그냥 복 방석에 자뿌라져 뿌렀당께! 그런되도 우리 아들덜을 조 햄벅이네 딸헌티 비교해? 택도 없어! 클씨 저번 때는 우리 깜둥이헌테서 편지가 왔는되, 요븐 가을에 즈그 내외가 한국에 나와서 나를 데리꼬 가것다고 했당께! 자식 덕분 에 비행기 타고 팔자에 없는 미국 귀경허게 생겼어! 또 우리 흰둥이 새끼는 어쩌고……. 그놈은 비까번쩍헌 차가 두 대나 되고 대궐 같은 집에서 산다니께! 우리 네 놈 새끼들만 생각하면 옴찔옴찔 오져 죽겄 어."

점례는 어깨를 들먹이기까지 하면서 좌중의 마을 친구들에게 술을 따라 주며 자랑스럽게 말했다. 그러나 마을 사람들은 점례의 그 같은 자랑을 텔레비전의 화장품 선전만큼이나 귀에 못이 박이게 들었기 때문에 마지못해 가볍게 고개를 끄덕였다.

"점례는 좋겠어!"

"점례가 부러워서 죽겠당께!"

"오점례 혼자 우리들 한을 다 풀었어!"

"점례는 우리 마을의 스타랑께!"

좌중의 친구들이 술잔을 비울 때마다 한 마디씩 뱉어 냈고, 그 때마다 점례는 자랑스러운 듯 어깨춤을 추듯 목을 휘저으며 행복하게 웃었다.

"그래도 조 햄벅이 할망구는 내가 양갈보질해서 깜둥이 흰둥이 낳았다고 숭보지 않든가?"

"그럼시롱 두 딸년들은 왜 그 짓을 시켜! 괜히 점례가 샘이 나서 그런 거니께 마음쓰지 말어. 시방 이 마을에서 점례를 숭보고 손가락질헐 사람이 누가 있다고그려? 점례나 조 함바꾸네나 다 안 굶어 죽을라고 헌 짓이었으니께……. 공주촌 사람덜치고 양키들 × 안 빨고시리 춘향이처럼 깨끗하게 살아온 사람이 누가 있간듸? 쪼니 워까며, 양담배며, 깡통 덕에 살아온 우리덜이 아닌감? 조 함바꾸네는 양키들 똥 덕분에 살았고 말여. 점백이는 몸을 팔았지만 그렇지 않은 사람들은 양키들헌테 쓸개를 판 거여. 몸을 판 거나 정신을 판 거나 매한가지제머. 모두 다 쌤쌤이여. 굶어 죽지 않을라고 한 짓이었응께……. 공주질해 갖고 떼돈 번 사람 있간듸?"

술집 주인 옥자의 말에, "그 짓 안 헸으면 우리 시부모 두 세끼들 굶어 죽었을 것이여." 하고 점례가 갑자기 착 가라앉은 목소리로 말했다. 그 때 조 햄벅이네 부인이 손목을 팔랑개비처럼 돌려 목덜미 안에 손바람을 만들어 넣으며 쪼작 걸음으로 옥자네 술집 안으로 들어섰다. 그녀는 좌중을 한번 두렷두렷 둘러보더니, 의자를 끌어다 점례 옆에 비집고 앉았다.

"옥자네야, 나 선한 맥주 한 병 주소. 한여름에 목 타서 워치께 쐬주를 마신당가 원!"

춘자 어머니는 그렇게 말을 하고 나서 점례의 옆얼굴을 빳빳한 시선으로 쏘아보았다.

"아니구만. 사람이 모두 몇인가, 나까정 야들이구마그려. 쐬주병 치워 뿔고 히야시된 것으로 야들 병 줘. 우리 영감 함바꾸만 처묵는듸, 나도 기분 좀 내야 쓰겄어!"

춘자 어머니가 짧은 목을 길게 빼고 손까지 흔들어 대며 소리쳤다. 그러자 점례는 소주병을 쥐어짜듯 하여 마지막 남은 한 방울까지도 깡그리 빈 잔에 따라 마시더니 벌떡 일어섰다.

"옥자야, 엠병헐, 여기 쪼니 워까 한 박스 내와라. 이 집구석에 없으면 비행기 타고 미국에라도 가서 가져와!"

하고는 악에 받친 목소리로 울부짖듯 소리쳤다.

덕주가 또 필시 두 여자가 싸움이 벌어질 것 같은 분위기에 술값을 계산하고 슬며시 밖으로 나와 버렸다.

하숙옥의 답답하고 무더운 방으로 돌아온 그는 점례에 비해 너무나 무기력하고 초라한 자신을 발견하고, 그녀를 만나려고 했던 마음이 희미하게 움츠러들고 말았다. 점례는 참나무처럼 굳세고, 싸움터에서 이기고 돌아온 병사처럼 떳떳하게 살고 있음을 발견했기 때문이었다. 그런 그녀 앞에 무릎을 꿇고 용서를 빈다는 것이 무의미하게 생각되어졌다. 그녀를 만나면 오히려 그녀 쪽에서 자기를 그렇게 만들어 준 것에 대해 감사하게 여기고 있다고 말하게 될지도 모른다는 끔찍한 생각이

들기까지 하여 서둘러 그녀가 살고 있는 곳에서 멀리 떠나고 싶었다.

점례한테 용서를 비느니 차라리 서둘러 달밭에 돌아가, 고향 사람들 앞에 무릎을 꿇는 것이, 마음 속에 겹겹이 홀맺힌 회한(悔恨)을 푸는 데 도움이 될 것 같았다.

그러나 점례가 거리낌없이 사는 것을 본 그는, 지난 30여 년 동안 스스로 묶여 있었던 가책의 무서운 쇠사슬로부터 풀려나는 것 같은 마음 후련함을 느낄 수가 있었다. 이제는 30년 전 그의 총부리 앞에서, 비바람에 떨어져 짓밟힌 감꽃처럼 무수히 숨겨 간 사람들의 환영들도 뿌리쳐 버릴 수 있을 것만 같았다.

덕주는 오랜만에 마음이 가벼워져 서둘러 고향에 가야겠다고 생각했다.

고향에 달려가고 싶은 발싸심 때문에 그 날 밤 잠을 이루지 못하고 뒤척이다가 꼭두새벽 미명이 되기도 전에 하숙옥에서 나왔다. 새벽 바람을 헤치며 걷는데도 이상하게 단 한 번도 기침을 하지 않았다. 오히려 영생이의 잎을 씹은 것처럼 목구멍 속이 개운했다.

덕주는 10리 길이 빠듯한 포주역까지 나가 첫차를 탈 욕심으로 새벽 길을 재촉했다. 그리고 너무나 짧은 기간이었지만, 한때 풀잎 같은 마음으로 점례를 사랑한, 지난 그의 인생의 가장 아름다웠던 순간을 천천히 음미하듯, 기분 좋은 한여름의 새벽 공기를 폐부 깊숙이 빨아들이면서, 고향 뒷산의 양지 쪽에 평화롭게 누워 잠이 든 자신의 모습을 머릿속에 부지런히 그려 넣었다.

비포장 황톳길을 지나, 발바닥이 쩍쩍 달라붙는 4차선 포장 도로에 이르렀을 때 채소를 가득 싣고 힘겹게 손수레를 끌고 가는 여자와 만났다. 머리에 큰 나월을 쓴 것을 보고 어자라는 것을 알 수가 있었다.

덕주는 손수레 앞을 그냥 지나치려다가 끙끙거리며 너무 힘들어하며 끌고 가는 것을 보고 가볍게 한 손으로 밀어 주었다. 그러자 여자가 어

둠 속으로 뒤를 돌아다보며 숨가쁜 목소리로 고맙다는 말을 하였다.

목소리로 보아 젊은 여자 같지가 않았다.

"새벽부터 어디까지 가시우?"

덕주가 손수레를 밀고 있는 한쪽 팔에 힘을 쏟으며 물었다.

"역에 도회지 장사꾼들한테 팔 거라우."

여전히 헐떡거리는 목소리였다.

"이렇게 한 구르마 끌고 가면 얼마나 버시오?"

"넘의 밭에서 새벽마다 한 구르마씩만 떼어다 파니께 게우 내 혼자 목구멍 풀질이나 허지라우."

"혼자라니, 식구는 없소?"

"자식이 넷이나 있었는듸, 에미 몸뚱이가 걸레가 되도록 애써 키워 논께, 제 앞길 가릴 만허자 모두덜 어미 품을 떠나가 뻘덩만. 뒈졌는지 살았는지 기별조차도 없당께요!"

"불효 막심헌 아들덜이군."

"말짱 이 에미 잘못이라우. 내 잘못이니께 그 놈덜 원망 안 혀요."

여자는 푸념처럼 숨가쁜 목소리로 말하고 나서 잠시 손수레를 멈추고 얼굴을 알아볼 수 없을 만큼 깊숙이 머리를 싸맨 타월을 벗겨 얼굴과 목덜미의 땀을 닦았다.

아스팔트 위에 미명의 마지막 두꺼운 어둠이 괴로운 삶의 껍질처럼 천천히 벗겨지기 시작했다. 덕주는 수레를 끌고 있는 불쌍한 여자와, 아들 자랑으로 두 어깨를 춤추듯 들먹이던 점례를 비교하면서 몇 번이고 안도의 숨을 내쉬었다. 그러나 그런 생각은 순간이었다.

"댐배 한 대 피우고 천천히 갈라니께 먼첨 가시씨요."

여자가 땀을 닦아 낸 타월을 툭툭 털며 덕주를 돌아다보았다. 그 순간 그는 하마터면 소리를 지를 뻔하였다. 동쪽 신작로 끝에서부터 트여 오는 아침의 하늘빛에 희미하게 드러나고 있는 여자의 얼굴은 점례가 분명했다.

"내 걱정 마시고 먼첨 가시라니께요."

그제야 점례의 때까치처럼 꺽꺽 울리는 목소리가 화살처럼 그의 심장에 섬뜩하게 꽂혀 온 것이었다. 갑자기, 점례가 30년 전 어둠 속에서 그가 들이댄 총구를 두려워하며 떨었던 것처럼, 그 자신이 그녀 앞에서 무참하게 허물어지고 있는 것 같았다.

덕주는 날이 밝아 오는 곳이 두려웠다. 고향에 돌아가는 일이 천당에 가는 것보다 더 어렵게 생각되어지면서, 다시 기침이 쏟아지려고 하였다.

자동차기 디 급히 클랙슨을 올리며 미명을 기르고 달려오지 그는 헤드라이트를 피해 몸을 돌렸다.

"걱정 마시고 먼첨 가시라니께요."

점례가 담배를 피워 물고 새벽 바람 속에 연기를 내뿜으며 덕주의 옆으로 왔다. 그는 고개를 숙이고 손수레의 손잡이를 잡았다. 그 곳에서 도망치듯 손수레를 끌었다.

"나 혼자서도 문제 없이 끌고 갈 수 있으니께 냅두시라니께요."

덕주는 점례가 한사코 만류하는 것을 못 들은 척하고 더 빠른 속도로 손수레를 끌었다. 채소를 가득 실은 손수레는 점례가 살아온 삶처럼 무거웠다. 아니, 덕주 자신이 지난 30여 년 동안 짓눌려 온 가책의 무게만큼이나 짐스러웠다.

새벽부터 둘이서 무거운 손수레를 끌며 밀며 지나온 아스팔트 길의 등 뒤엔 희번하게 동이 터 오고 있었으나, 수레가 도착해야 할 포주역의 서쪽 하늘은 아직 두꺼운 어둠 속에 덮여 있었다.

"혼자서도 문제 없는듸……."

점례는 잰걸음으로 손수레를 따라오며 똑같은 말만 되풀이하였다.

최일남

타 령

지은이

1932~ 전북 전주 출생. 고려대 대학원 수료. 1953년 《문예》에 〈쑥 이야기〉가 추천되어 문단에 데뷔했다. 이어 〈혼사〉, 〈노기띤 얼굴〉, 〈동행〉 등을 발표했다. 초기 작품은 가난한 사람들의 생활 속에서 인간성을 확인해 보려는 데 있었다. 창작집으로는 《서운 사람들》, 《홰 치는 소리》 등이 있다. 월탄 문학상, 한국소설가협회상, 창작문학상, 이상 문학상 등을 수상했다.

타 령

살 만하면 죽어가기

　해거름 시장판은 난장판이었다. 손 안에 쥔 돈지갑에 비해서는 엄청 큰 바구니며 보자기들을 든 여편네나 식모들이 와락와락 몰려들어 머뭇거리다가 걷다가, 이것을 집적거렸다가 저것을 놓았다가 두서없이 그리고 천방지축으로 뒤뚱거렸다. 해가 아직은 쨍쨍한데도 차일을 친 시장 안은 어두웠고, 어찌 된 셈인지 가뭄이 한 달째나 계속되는 마당에 시장길은 팥죽처럼 질척거렸다. 매캐하면서도 조금은 퀴퀴한 냄새가 알싸하게 코를 후비고, 달콤하고 후덥지근한 공기가 사람들의 몸 속에 묻어 나갔다.

　그런 시장의 한복판에 서서 기수는 구성진 목소리로 뽑아 댔다.

　"동해 바다에서 막 잡아온 고등어요, 고등어. 이 고등어 못 먹어 본 사람 저승에 가서도 눈을 못 감을 거요. 암, 못 감지."

　쇠꼬챙이로 고등어의 아가리를 꽉 찍어 올려서 휘휘 내둘렀다. 그 때마다 통통하게 살이 밴 고등어의 눈깔이 희번득거렸다. 기수의 말마따나 그것은 언뜻 살아 움직이는 것처럼도 보였다. 알량한 하등 생선 가지고 너스레깨나 떤다고 생각하기도 하고, 그런 허풍은 으레 변두리 시장바닥에 있게 마련인 시끄러운 풍물의 하나쯤으로 여기는지 아무도 잘 눈여겨보지도 않았다.

"이봐요, 아주머니. 나 좀 보라니깐요. 이 펄펄 뛰는 놈을 두고 어디를 가십니까, 네? 보시라구요. 무를 설겅설겅 썰어 넣고 물을 밭게 잡고 얼큰하게 끓여 넣으면 요즘 밥반찬으로 더 덮을 게 없어요."

"얼마예요, 한 마리?"

"아따, 값부터 물어 보시네. 이리 와 보세요. 나 아주머니 말만 잘하시면 거저라도 드리겠소."

"그 양반 말 한번 푸짐하구만."

"우리 선조가 변호사였는갑소. 말이야 청산유수지요. 무식해서 탈이지."

아주머니라고 불린 여자는 마지못해 기수의 좌판 가까이 쭈빗쭈빗 다가왔다.

"보쇼, 아주머니."

하면서 기수는 쇠꼬챙이로 고등어의 배때기를 타닥타닥 두들기기도 하고, 아가미를 젖혀 보이기도 하였다.

이 때 손님의 팔꿈치 사이로 상고머리 고개 하나가 쑥 들어왔다.

"아버지, 아버지, 큰일났어요. 어머니가, 어머니가……."

"응, 너 왔냐? 뭐여, 어머니가 어쨌다고?"

"엄마가 이상해요. 막 입에 거품을 품고……."

"뭣이라고?"

기수는 하던 흥정을 멈추고 이웃 사람에게 가게를 부탁하고는 아들을 따라 허둥지둥 달려가기 시작했다. 이 사람에게 부딪치고 저 사람에게 부딪치고, 더러는 사람을 떠다밀다시피 하면서 시장에서 한참을 가야 하는 신동네로 허위허위 달려갔다.

달려가면서도 기수는 자꾸만 불길한 생각이 들었다.

드디어 올 것이 왔는갑다 싶은 어두운 죽음의 그림자가 자꾸만 눈앞을 가로막았다. 그러면서 지금 죽어서는 안 되는데, 조금만이라도 더 살아 주어야 하는데, 복도 없는 년 왜 벌써 가니. 속으로 울었다. 아내는 아침에도 그렁그렁한 목소리로 아무래도 시원치 않다고 우는소리를 했다. 기수는 그런 아내의 손을 잡아 주면서 무슨 쓸데없는 소리냐고, 의사 선생님도 병이란 환자의 마음먹기에 달렸다고 하지 않더냐고, 그러니 지금 받아다 놓은 약만 열심히 다 먹으면 거뜬히 일어날 수 있을 것이라고 타일렀다. 그러나 아내는, 아이들이 아니야 아니야 하고 생떼를 부리듯, 도리도리를 치면서 내 병은 내가 안다고, 아무래도 오래 못 살 것 같다고 눈물 방울을 떨어뜨렸다.

기수 또래의 사람들이 다 그렇듯, 그는 아내의 병명도 제대로 알지 못한 채 그저 약만 지어다 먹였다. 그렇게 억척스럽게 기수와 함께 장사를 하던 아내가 어느 날부터인가 시름시름 앓더니 마침내 몸져 눕고 말았다. 겁이 덜컥 난 기수가 병원을 찾아갔지만 병원에서도 신통한 대답을 해 주지 않았다. 어떤 의사는 둘째 아이의 산후 조리가 잘못돼서 생긴 병이라고도 하고, 어떤 의사는 신장이 몹시 나빠졌다고 하고, 어떤 의사는 종합검진을 해 보기 전에는 알 수 없다고 하기도 했다. 그러면서 대개는 우선 환자를 입원시켜 놓고 봐야겠다고 했는데, 아내는 입원 소리만 나오면 펄쩍펄쩍 뛰면서, 아니라고, 약이나 한 며칠 분 지어 주면 나을 거라고 지레 겁부터 내는 바람에, 그럴 형편도 못 되지만, 애시당초 입원시키고 자시고 할 계제가 못 되었다.

아내는 그 뒤로도 자꾸만 저 밑으로 밑으로만 가라앉고, 여간해서 회복의 기미를 보이지 않았다. 그러면 그럴수록 좌판에서 외쳐대는 기수의 호객 소리도, 잘 듣고 있으면 어딘지 모르게 그전보다도 처져 있었다. 겉으로는 동해 바다에서 막 잡아온 펄쩍 뛰는 고등어라고 외치지만, 그 외쳐대는 소리는 그전처럼 윤기가 없이 바스락거렸고, 펄펄 뛰기는커녕 조금씩 조금씩 메말라 픽픽 가라앉아 있었다. 고생고생하지만, 기수 내외가 변두리 시장에 그만한 좌판이라도 벌이고 생선장사를 하기까지에는 오만 가지 고생을 다 했다. 처음부터 기수는 가진 게 없었고, 그것 두 쪽만 덜렁하니 찬 채로 결혼이라는 일을 벌여 놓고 보니, 그 처지가 그 처지인 아내와의 살 일이 막막했다. 그래도 둘은 젊음을 밑천으로 이것저것 가릴 것 없이 벗어부치고 덤벼서, 이제는 쬐금, 그야말로 쬐금 한시름을 덜려는 판에 덜커덩 아내가 병이 나고 보니 맥이 탁 풀릴밖에 없었다. 왜 그런 말이 있지 않은가. 고생을 타고난 사람은 육실하게도 고생만 지지리 하다가, 고생에서 헤어나서 이제는 조금 마음을 놓고 밥술이라도 뜨겠다 싶으면 꼴까닥하고 만다는. 아직 그런 단정을 내리기는 빠르지만 기수의 아내가 그꼴이었고, 기수는 자꾸만 그런 쪽으로 방정맞은 생각이 기울었다.

기수 내외는 시골에서 어울려서 거의 무일푼으로 서울에 올라와 죽자사자 일을 했다. 그 일의 가짓수를 어찌 이 자리에 늘어놓겠는가. 그만한 사람들이 겪을 만한 일은 다 겪은 셈이었다. 내외가 변두리 시장의 한 구석을 차지하고 조금씩 숨을 돌리기 시작하자, 아내는 몇 년 더 열심히 벌어서 동대문 시장으로 나가자고 했다. 기수가 그렇게 되면 이놈의 장사 싹 때려치우고 더 반듯한 장사를 할 일이지, 여편네가 소갈머리가 그렇게 좁아 가지고야 맨날 이 신세 못 면할 것 아니냐고 구박을 주면, 아내는 그게 아니라고 했다. 그게 아니라 기왕 이 장사를 시작했을 바엔 제일 큰 바닥에 나가서 여보란 듯이 좀 번듯하게 한번 벌어 보고 싶다고 했다. 그게 아내의 소원이었다. 한 번 그런 소원을 품자 그것은 아내의 희망으로도, 사는 목적으로도 변했다. 오로지 그 날을 위해서 밤낮을 가리지 않고 일했다. 아직도 그런 실력이 못 되면서도 틈만 있으면 동대문 시장으로 나가 마땅한 장소를 점찍어 놓고 와서는 좋아라고, 아직은 그럴 형편이 못 되는데도 일이 다 된 것처럼 희희낙락했다.

기수가 집에 들이닥쳤을 때, 이미 아내는 사경을 헤매고 있었다. 눈이 하얗게 까뒤집혀진 채 사람을 알아보지도 못하고, 알아들을 수 없는 외마디 신음 소리만 질렀다.

"여보, 여보, 나야, 나!"

기수는 아내의 상체를 흔들며 대고 외쳐 댔으나 아내는 무거운 짐일 뿐, 별반 대꾸가 없었다.

"형철아, 의사 선생님 불러와, 빨리! 옆집 아주머니보고 말 좀 해. 빨리 가서!"

아들 형철이가 뛰어나갔다. 그러나 의사를 부를 필요도 없었다. 아내는 힘없이 고개를 모로 떨구었다. 그리고 그만이었다. 허망했다.

"여봇, 살 만하니까 왜 죽어. 고생만 죽도록 하더니 왜 벌써 가. 몇 년만 고생하면 동대문 시장도 갈 수 있을 텐데 왜 죽어, 왜!"

기수는 아내의 얼굴을 얼싸안고 오장육부가 찢어지는 울음을, 그러나 소리없이 울었다.

밤이 되자 이백 원 삼백 원씩을 들고 온 문상객들도, 젊은 기수댁의 죽음을 애통해했다.

"살 만하니까 갔구먼."

"그러게 말이에요."

"꼭 그래요. 고생고생해서 이제 한숨 좀 돌리겠다 싶으면 가거든."

"왜 그럴까요."

"누가 알우. 복이 그것뿐인 게지."

"하늘도 무심하지."

아내가 죽은 지 꼭 사흘 만에 기수는 적어도 겉으로 보기엔 아무런 변화도 없이 나발 불고 있었다.

"동해 바다에서 막 잡아온 고등어요, 고등어."

그러나 이 고등어 못 먹어 보고 저승에 간 사람은 저승에 가서도 눈을 못 감을 것이라는 말을 덧붙이지 않았다. 그가 그 날 어느 손님에게 생선을 싸 주는 신문쪼가리에는 천만 원대 도박을 하다가 걸렸다는 여자들의 사진이 나와 있었다.

연애하면 쫓겨나기

온 가게 안이 고소한 기름 냄새로 가득했다. 이쪽에서는 큰 가마솥에서 톡톡 튀는 깨를 볶고, 또 한쪽에서는 육중한 기계로 기름을 짜내고 있었다. 무수한 병들이 늘어서 있는 가게 밖에서는 올망졸망한 병에 기름을 부어 팔기에 바빴다. 시장 안에서도 제일 기름지고 윤택해 보였다. 가게 안이 기름때로 도배를 하고, 기물 하나하나가 미끈덕미끈덕하도록 기름을 처발랐대서가 아니라 어느 가게보다도 사람들이 제일 웅성거려서 그랬다. 그래 보아서 그런지, 이 기름가게 안에서 일하는 사람들도 얼굴에 윤이 질질 흘러 보이고, 아이들 우스갯소리마따나 똥구멍도 미끌미끌할 것처럼 느껴졌다.

사람들 틈에 비집고 영양좋게 생긴 처녀 하나가 불쑥 고개를 디밀었다. 처녀는 선뜻 무슨 기름 얼마치를 달라고 말하기 전에, 가게 안을 두리번거렸다. 그러자 마치 기다리고나 있었던 것처럼 안에서 기계와 씨름하고 있던 대철이가 힐끗 이쪽을 쳐다보았다. 두 사람은 눈이 마주치자 서로 도둑웃음을 웃었다. 대철이는 하던 일을 멈추고 주춤주춤 기름 파는 데로 가까이 왔다. 가까이 오기만 했을 뿐 그러나 그는 무슨 말을 거는 것도 아니고, 요상스럽게 눈을 찡긋거리는 것도 아니고, 그냥 멍청히 서 있기만 하다가 제 스스로도 어색했던지 기름 붓는 나팔대를 흔들어 보았다가, 그러지 않아도 가지런히 놓인 기름병을 요리조리 옮겨 놓다가 하였다. 처녀는 처녀대로 얼른 용건을 대지 못하고 고개를 디밀고 들어올 때와는 달리 쭈빗쭈빗 뭔가를 망설였다.

작달막한 키에 비해 떡 벌어진 어깨며, 암팡지게 나온 둔부가 억세게 일깨나 한 몸임을 대번에 느끼게 하는데, 그런 깐으론 얼굴이 오목조목 귀염성스럽게 생긴데다 이목구비도 번듯했다. 살짝 건들기만 해도 금방 터질 것만 같은 얼굴에 보송보송한 솜털이 쫙 깔려 있었다. 처녀의 그런 볼때기가 대철이를 보자 발갛게 그러나 서서히 물들기 시작했다.

"참기름?"

대철이가 물었다.

처녀가 고개를 까닥거렸다. 그러나 느닷없이 기름집 여자 주인이 대철이를 밀치고 둘 사이에 끼어들었다.

"아니, 기계 안 보고 뭘해! 파는 것까지 참견할 것 없다구."

"바쁘신 것 같애서 그랬죠."

"아무리 바빠도 할 일이 따로 있는 거지. 쩍하면 입맛이라고 사정은 알지만 말야."

"아주머니가 뭘 아신다고 그래요?"

"대철이는 비죽이 웃으면서 말했다. 기름때가 묻은 얼굴이 불그레하니 상기해 왔다.

"애개개, 나 참, 흉물 떨고 있네."

아주머니는 사람을 뭘로 아느냐는 듯한 표정으로 실쭉 웃으면서 처녀를 상대하기 시작했다.

대철이는 제자리에 돌아가서 아주머니 등 뒤로 처녀의 시선을 자기에게로 돌리려고 애썼다. 처녀가 언뜻 대철이를 쳐다보는 순간, 대철이는 얼른 두 손바닥을 허공에 쫙 펴보이면서 소리 안 나게 '알았지?' 하는 시늉을 했다. 처녀가 알아듣겠다는 표시를 했다. 두 손바닥을 쫙 편 것은 밤 열 시를 의미했다. 한 손만 쫙 펴고 나머지 손가락 세 개를 펴면 여덟 시, 두 개만 펴면 일곱 시에 만나자는 뜻인데, 처녀가 남의 집 식모살이를 하기 때문에 일곱 시나 여덟 시에 만나는 일은 드물고, 대개는 지금처럼 두 손바닥을 쫙 편 시간, 즉 열 시에 그들의 데이트는 시작되었다.

대철이가 전화를 걸어서 만나는 수도 있지만, 그건 그렇게도 신경이 쓰이고 어떤 땐 신경질이 바락바락 나는 일이기도 했다. 전화를 걸면, 어떻게 된 셈인지 번번이 처녀가 일하고 있는 집의 아주머니가 받았다. 대철이와 그 집 아주머니는 전화로 대개 이렇게 응수했다.

"여보세요, 거기 ×번이죠?"

"그렇습니다만……."

아주머니는 처음부터 삐딱하게 나왔다.

"금희 좀 바꿔 주십쇼."

"거기 어디십니까?"

"여기…… 잘 아는 사람인데요."

"잘 아는 사람이라니, 댁은 성도 이름도 없수?"

"아이참, 대철이라고 그래 주세요."

"대철이? 금희하고는 어떻게 되는 사인데……?"

"그냥 그러면 알아요."

"그러면 알다니, 내가 이 집 주인인데 어떻게 되는지도 모르는 사람에게 우리 식구 전화를 대줄 수 있어요?"

"아니, 정말 이렇게 신경질 나게 나오실 겁니까?"

"아니, 이 사람이 어따 대고 시비야, 시비가!"

이 때쯤 해서, 대철이는 아 열나, 하면서 전화를 끊기 일쑤이고, 금희는 금희대로 일이 되어 가는 꼴을 지켜보면서 안달을 했다. 자기한테 걸려온 전화인데도 막상 자기는 말 한 마디 못하고 가슴만 두근반 세근반 하다가 마는 것이었다.

대철이가 열 시쯤 해서 동네의 어린이 놀이터에 나갔을 때 금희는 아직 와 있지 않았다. 둘은 언제나 이 곳에서 만났다. 저녁 나절 시끌짝하던 동네 아이들도 지금은 다 돌아간 놀이터는, 젊은 남녀나 노인네들이 여기저기 앉아서 더위를 식히거나 도란도란 얘기를 하고 있을 뿐 퍽 조용했다. 길게 늘어뜨려진 쇠그네가 이따금 밀려 저 혼자 흔들거렸다. 대철이는 시소의 한 끝에 앉아 장난삼아 엉덩이를 들었다 놓았다 하면서 엉덩이가 간질간질해 오는 맛을 즐기고 있었다.

금희가 나타난 것은 그 무렵이었다.

"기다렸어?"

금희가 물었다.

"늘 기다리는 건 나지 뭐."

"얼마나?"

"30분? 아니, 한 시간인가?"

"거짓말 마."

금희가 대철이의 허벅지를 세게 꼬집었는지 대철이 녀석이 아야야야야…… '야' 자를 여남은 개나 내리꿰면서 죽는 시늉을 하였다. 달은 보이지 않고 높다란 수은등이 그걸 보고 웃고 있었다.

"앞으로 또 그런 거짓말을 했다가는 가만 안 둘래."

"알았어, 알았어. 이거나 먹자."

대철이는 윗주머니에서 ×깡을 꺼내고 아랫주머니에서는 소주병을 꺼냈다.

"또 소주. 깡술 먹으면 어떻게 된다는 것 너 모르니?"

금희는 나무라면서 바지 주머니에서 비닐에 싼 뭉치를 꺼냈다. 식빵 쪼가리였다. 둘은 그걸 서로의 무릎 사이에 놓고 먹기 시작했다. 그러다가 한참만에 금희가 입을 열었다.

"시시해."

"뭐가?"

"이게 뭐니?"

"이게 뭐라니?"

"우리 데이트는 왜 맨날 요모양인지 모르겠어."

"이게 어때서, 좀 좋아. 장소도 그럴듯하것다, 먹을 것도 있것다."

대철이는 또 한 모금 병째로 술을 입 안에 털어 넣었다.

"자기는 욕심도 없어? 좀 그럴듯한 데로 한번 가 봐."

"너 엉덩이에 뿔 나 가는구나. 피차 자신을 알자구, 자신을."

"비꼬지 마."

"비꼬는 게 아니라 사실이 그렇지 않니. 너나 내나 주인 있는 몸 어떡 허니. 이렇게 만나서 얘기나 실컨 하는 거지, 안 그래?"

"그렇기는 하지만 말야."

"그렇다고 나 노는 날 너 나올 수 있어? 못 나오지? 못 나오지?"

"왜 자꾸 다그치고 그래."

"가만 있어 봐. 우리라고 맨날 이렇게 살라는 법 있니. 나도 다 생각이 있으니까. 송대관이도 말했잖아, 쨍하고 해뜰 날 있다고."

"웃기고 있네."

"아냐. 두고 봐. 그 때가 좋았다고 옛얘기하면서 살 날이 있을 테니까."

"언제. 백 년 후에?"

"어, 이게 사람을 막 무시하네. 너까지 날 무시하면 어떡하니, 엉?"

대철이는 은근슬쩍 눙치면서 금희의 허리를 껴안았다.

꼬리가 길면 잡힌다고, 둘의 연애는 곧 시장 사람들의 관심을 끌었다. 금희가 장바구니를 들고 나타나면 실실 웃어 주기도 하고 눈으로 기름집을 가나 안 가나 좇기도 했다. 그런 시선이 싫어서 금희는 일부러 기름가게를 요리조리 피해 다니기도 하고, 기름을 살 일이 있어도 대철이는 못 본 체하고 얼른얼른 볼일만 마치고 나오기도 했는데, 그 때마다 대철이는 용케도 알아차리고 자기네 가게에 들렀을 때는 말할 것도 없거니와 금희가 시장 안을 돌아다니는 뒷모습을 좇기에 바빴다. 그 때마다 주인 아주머니에게 들켜서 핀잔을 들었다.

"아따, 고만 좀 쳐다 봐. 처녀 뒷모습 닳겠네. 참 좋은 때는 좋은 때여."

꼬리가 길면 잡힌다고, 이 소문은 금희네 주인 아주머니의 귀에도 들어갔다. 하기야 소문을 들을 것도 없이, 가끔 설거지를 마치고 언니 댁을 갔다온다느니, 형부가 좀 오란다느니, 시골서 친구가 올라와서 잠깐 만나고 오겠다느니 하는 따위의 구실로 곧잘 외출을 할 때부터 눈치빠른 아주머니는 점치고 있었다. 요것이 바람이 났음에 틀림없다고. 처음에는 알고도 모르는 척하면서 허락해 주던 아주머니도 그러나 금희의 밤나들이가 잦아지면서 엄한 경고를 내렸다. 다시는 밤에 나가지 말라고. 그래도 금희는 몰래 집을 빠져나갔다. 다음날 아주머니는 금희를 불러 앉히고 최후 통첩을 했다.

"안 되겠다. 너 우리 집을 나가 주어야겠다. 네가 밤늦게 나가는 것은 첫째 불결해서 못 보겠고, 둘째 아이들 교육상으로도 나빠. 박정한 것 같지만 할 수 있니. 너 때문에 우리 집 분위기 흐리는 것은 참을 수 없는 일이란 말야."

금희는 불결하고 아이들 교육 어쩌고 내세우는데, 댁의 큰따님은 임신 7개월의 몸으로 시집가고, 둘째 따님은 아직 약혼도 안한 여자가 단순히 장래를 약속했다는 이유만으로 심심치 않게 외박하고 들어오는 것은 아이들 교육상 좋고 불결하지도 않으냐고 되묻고 싶은 마음이 목구멍까지 기어 올라왔으나 참았다. 그리곤 그 집을 나왔는데, 그 뒤 대철이와 금희의 연애 사건이 어떻게 되었는지는 아무도 모른다.

새우젓 냄새 지우기

새우젓장수 아주머니는 점심때가 조금 지나자 안절부절못했다. 아마 지금쯤 올 때가 되었음직한데 오늘따라 둘째 아들 호근이가 돌아오지 않는다. 아직 시간이 일러서 가뭄에 콩나듯 간간이 찾아오는 손님 때문이기도 하지만, 그녀는 재를 잡지 못하고 지금도 몇 번씩 일어났다 앉았다 하면서 시장 입구 쪽으로 목을 길게 빼들고 휘휘 내둘렀지만 아이는 영 보이지가 않았다.

별의별 방정맞은 생각이 다 들었다. 오다가 혹시 자동차 사고라도 난 게 아닐까. 아냐, 학교까지 큰길을 건너는 일은 없으므로 그럴 리는 없고 자전거에라도 부딪친 것이 아닐까? 그게 아니라면 어떤 녀석의 꾐에 빠져 납치를 당하지는 않았을까 하는 생각도 들었다. 자기 아들이 무슨 갑부의 자식이 아니니까 그럴 리는 없겠지만 혹시 몰라라? 만일 그런 일이 있다면 새우젓가게의 독이 하나 둘 셋 넷…… 저걸 다 팔고 전세방 값을 빼면 찾아올 수 있을까. 흐흐, 내가 왜 이럴까. 세상에 새우젓 장수 아들을 유괴했다면 신문 나겠네. 그러나 또 몰라라? 녀석이 워낙 빼어나게 잘생기고 귀염성스러우니까, 어느 돈많은 사람이 양자로 삼으려고 데려갈 수도 있는 일이지. 아니야, 아니야, 녀석이 영악스러워서 그럴 리는 없지. 그렇다면 요전처럼 오다가 만화를 보고 있는 것일까.

그애는 다 좋은데 그게 한 가지 흠이란 말야.

"아유, 왜 이렇게 안 올까, 애타 죽겠네."

새우젓장수 아주머니는 마침내 허리를 두들기면서 일어섰다. 그러자 길게 하품을 하고 난 이웃 건어물가게의 유씨가 마침 좋은 얘깃거리가 생겼다는 듯이 거닫고 나섰다.

"기다려지기도 하겠소. 제때 되면 어련히 올까봐 그리 안달이시오. 아무튼 아주머니도 어지간하시오."

"아니, 아저씨 같으면 애가 올 시간에 안 오면 걱정이 안 되겠소?"

"걱정은 무슨 놈의 걱정이오. 올 때 되면 제발로 척척 들어오지. 제깐 놈들이 가면 어딜 가겠소."

"아저씨는 태평이어서 좋소."

"나 태평스러운 것 빼 놓으면 쓰러지지. 당장 원자탄이 떨어져 보시오, 내 눈 하나 깜짝 하는가."

유씨는 비웃듯이 웃었다. 그가 새우젓장수 아주머니더러 어지간하다고 말하는 데는 그럴 만한 까닭이 있었다.

새우젓장수의 아들은 어머니가 자랑할 만큼 공부도 잘하고 이악스러웠다. 올해 국민학교 3학년인데 반에서 1, 2등을 다투는 처지였다. 새우젓장수 아주머니는 그게 그렇게 대견할 수가 없었다. 대견한 정도가 아니라 그처럼 공부 잘하는 호근이에게 자기의 모든 것을 걸었다. 그녀는 그렇게 자식이 자랑스러워서 시장 안 동료들에게 호근이에 관한 일일보고를 하다시피 했다.

"이봐요, 희식이 엄마. 우리 호근이가 이번에 일제고사를 봤는데 글쎄 산수 점수가 100점, 자연이 95점, 국어가 100점, 사회생활 98점을 받아 왔지 뭐유."

"어메, 잘도 했소."

채소장수가 시답잖은 태도로 맞장구를 쳐 주었다.

"그뿐인 줄 알아요. 우리 호근이가 이번에 합창단으로 뽑혔다지 뭐유. 그래갖고 한 달 후에 방송국에서 노래한대요."

"참, 호근이 엄마는 산 보람 하게 됐수. 우리놈의 자식은 공부는 맨날 꼴찌인 처지에 주전부리는 오지게 해 대니 아들농사 떡쳐먹었지."

언젠가 새우젓장수 아주머니는 집에서 라디오를 들고 오더니만 다섯 시 가까이 되자 이 사람 저 사람 끌어들이기 시작했다. 아들이 방송국에서 어린이 시간에 노래를 하는 게 방송된다는 것이었다. 그 바쁜 시간에 모여들 사람도 없었지만 그래도 이웃에 있는 미제장수, 단무지장수, 과일장수 아주머니들이 모여들었다. 라디오의 볼륨을 한껏 높여 놓았다. 그러나 이 아이 저 아이의 독창 2중창이 한참 나오는데도 호근이의 이름은 불리어지지 않았다. 호근이 어머니는 이럴 리가 없는데, 초조하였다. 이윽고 아나운서는 호근이가 다니는 학교의 이름을 대면서 합창을 하겠다고 말했다. 호근이 어머니는 그 일사불란한 합창 속에서 자기 아들의 목소리를 가려내려고 귀를 곤두세우고 있더니, 저 소리, 저 소리, 실성한 사람처럼 외쳐 대었다. 옆엣사람들이 영문을 모르고 멍청히 있자니까, 저기저기 노래 중에 삐 하고 올라가는 게 바로 호근이 목소리라고 진짠지 가짠지 혼자 흥분해 댔다.

호근이 어머니의 아들 자랑에 어지간히 신물이 난 시장 사람들은, 때때로 해도 너무한다고 입을 삐죽거리기도 했다. 저쪽에서 호근이 어머니가 입이 함박만해 가지고 설레설레 걸어오면, 흐흥 오늘은 또 무슨 자랑인구 싶어 고개를 모로 꼬는 사람도 있었다. 그러나 그녀는 남들이 그러거나 말거나, 그날 그날의 아들 보고를 해야 직성이 풀리는지, 어쩌면 주책없을 정도로, 오늘은 우리 호근이가요 오늘은요 우리 호근이가요 어쩌구어쩌구했다는 말을 하고는 온몸에 바람을 붕 띄워가지고 돌아

다녔다.

호근이 어머니는 비단 시장 안 사람들뿐만 아니라 젓을 사러 오는 단 골들에게도 은근히 자랑을 끌어내었다. 그러면 사람들은 대개는 기특하 다기도 하고, 어머니가 고생하시는데 암 그래야지요 하기도 했다. 그러 면서 남의 일이기는 해도 자식의 교육에 이만큼 헌신적인 데에 놀라기 도 하고 그랬다. 자기들보다는 훨씬 못한 처지에 살면서, 자식의 장래에 그만한 희망을 걸고 살아가고 있는 사실에 밑천 들 것 없는 찬사를 아 낌없이 보였다. 덕분에 기왕이면 하는 심사가 작용해서 여느 젓가게보 다도 손님이 많이 모이는지도 몰랐다.

호근이 어머니는 학교 출입도 비교적 열심히 하는 편이었다. 어쩌다 열리는 자모회에는 빠지지 않고 꼭꼭 참석했다. 나가서 선생님의 환심 을 사기 위해 치마꼬리를 휘어잡고 선생님 앞에서 격에 안 맞게 생긋생 긋 웃어 쌓거나 앞장서서 돈 거두자고 나서거나 하지는 않았으나 남들 하는 대로는 열심히 따라갔다. 혹시 아는 학부형이 새우젓장수라고 흰 눈이라도 까바칠까 봐, 누가 젓냄새 난다고 몸이라도 사릴까 봐, 학교에 가는 날은 미리부터 목욕하고 지지고 볶고, 아껴 두었던 옷으로 바람을 일으키며 나갔다. 시장 사람들은 그런 호근이 엄마를 보고 물찬 제비 같다느니, 누가 보면 과수댁 바람났다고 금방 채 가겠다느니 놀려 댔지 만, 그녀는 그런 농담이 싫지 않고 차라리 자랑스럽기만 했다. 선생님도 이런 호근이 엄마의 정신을 알아 주시는지, 기회 있을 때마다 참 장하 시다느니, 어머님의 그런 교육열이 뒷받침되어 있으니까 호근이가 공부 를 잘한다느니, 칭찬인지 공치산지 모를 소리를 했다. 호근이 어머니는 그게 또 그렇게 흡족하였다. 그뿐만 아니라 학교에 낼 공과금이나 학기 말 같은 때 그럴 만한 봉투를 보낼 때는, 일부러 빳빳한 지폐로만 골라 서, 어쩌다 주름잡힌 돈이 섞이면 그걸 일일이 다리미로 주름살을 펴서 넣어 보내곤 하였다.

그랬는데, 정성이 부족하여 떡이 설었을까? 학교에서 돌아온 아들을 보고 환히 웃는 어머니 앞에서 호근이는 영 상이 말이 아니었다.

"아가, 왜 그래? 학교에서 무슨 일이라도 있었니? 학교에서 무슨 언짢은 일이라도 있었니 응?"

그래도 호근이는 코만 후빌 뿐 도무지 대답을 하지 않았다.

"말해 봐. 무슨 말을 해도 엄마 화 안 낼게. 알았지? 말해 봐."

그래도 호근이는 발끝으로 땅만 툭툭 차더니 이윽고 기어들어가는 소리로 말했다.

"애들이 날더러 새우젓 냄새가 난대."

"뭐라고?"

호근이 어머니는 당장 가슴이 벌렁벌렁하면서 얼굴이 불그락푸르락하였다.

"아니, 너……."

옷은 이틀이 멀다하고 빨아 입히는데 이게 무슨 뚱딴지 같은 소린가 싶어, 호근이를 와락 안고 킁킁 냄새를 맡기 시작했다.

"어떤 놈이 그래? 어디서 냄새가 난다던?"

그러자 호근이가 소리를 빽 질렀다.

"엄마는 그것도 몰라? 옷에서 나는 게 아니라 엄마가 새우젓 장사를 하니까 애들이 놀리려고 그러는 거지 뭐."

"……."

호근이 어머니는 그날 밤 잠을 이루지 못했다. 이 생각 저 생각, 갖은 궁리를 하는 모양이었다. 그러더니 갑자기 자고 있는 호근이를 깨우기 시작했다.

"애얘, 잠깐만 일어나 봐."

"잠이 와 죽겠는데 왜 그래?"

"너희 반 아이들이 모두 몇 명이지?"

"그건 왜 물어…… 60명쯤 돼."

다음날 아침 호근이 어머니는 학교 가는 아이에게 껌 여섯 통을 사 주었다. 학교에 가거든 반아이들 한 사람 앞에 하나씩 나누어 주라는 것이었다.

"아무 말 말고 네 생일 선물이라고 하면서 노나주기만 하면 돼. 알았 지, 알았지?"

호근이는 영문을 몰라하면서도 고개를 끄덕였다.

새우젓장수 아주머니는 자기가 생각해도 아이디어가 그럴듯하게 느껴 졌다. 그만한 와이로를 던져 주면 요녀석들이 다시는 자기나 자기 자식 을 깔보지 않으리라는 생각과, 새우젓 냄새를 막는 입가심으로는 그럴

듯하리라는 요량이었다.

아들이 학교에서 돌아오자 그녀는 다짜고짜 아들을 붙잡고 애원하듯 다그쳤다.

"인제 그런 소린 안 하지? 그래, 아이들이 그런 소리 안 하지?"

"그래. 아이들이 막 좋아해. 근데 아이들이 껌 다 먹고 또 그렇게 놀리면 어떡허지?"

"그러면 또 사 주지. 그러면 또 사 주지, 호호호."

새우젓장수 아주머니는 기차게 웃어 댔다.

병신 칠갑하기

"저리 가지 못해? 아직 마수도 못했는데 얼쩡거리고 야단야, 야단이."

채소장수는 동태가 자기네 좌판을 얼씬거리자 빽 소리를 질렀다.

"짐 없더, 짐?"

동태는 쥔이 그러거나 말거나 혀짧은 소리로 운반할 짐거리가 없느냐고 물었다.

"금방 없다고 그러잖아. 인제 귀까지 먹었니?"

"나 귀 아주 좋아."

"얼씨구, 자아식."

동태는 채소장수의 호통을 맞고 무슨 노래까지 흥얼거리면서 생선가게 쪽으로 걸어갔다.

한쪽 다리를 심하게 절었다.

동태가 이 시장에 언젯적부터 들어와 있었는지는 아무도 모른다. 다리를 저는데다가 머리도 모자라고 눈알 하나가 허옇게 튀어나와 있어서 동태라는 별명이 붙었는데, 본인 자신도 그렇게 부른다고 해서 화를 내거나 하지는 않았다. 그런, 동태 같은 처지의 사람은 어느 시장에나 하나씩 있는 법, 이 변두리 시장에도 그런 구색을 갖추느라고 그가 어디서 나타났는지도 모른다.

하여간에 그는 시장 안에서 먹고 자면서 별의별 일을 다 했다. 그래도 힘은 있어서 주로 짐을 나르는 일이 많았지만 그것말고도 돈 한푼 안 벌리는 쓸데없는 일도 많이 했다. 그는 누가 뭘 시키기를 기다리지 않았다. 눈에 띄는 대로, 하다못해 쌀 되는 데 가서 쌀가마라도 잡아 주고, 과일을 실은 삼륜차가 들어오면 사과 궤짝도 날라 주었다. 사람들은 일에 오히려 방해가 된다고 아예 두 손 묶고 죽치고 앉아서 굿이나 보고 떡이나 먹으라고 해도 그는 막무가내였다. 시장 사람들의 지천꾸러기 노릇을 하면서도 이리 집적 저리 집적 나타나지 않는 곳이 없었다.

사람들은 그런 그를 그러나 과히 구박하지는 않았다. 제깐에는 매사를 선의에서 하겠다고 덤벼드는 걸 나무랄 사람이 있겠는가. 도무지 누구에게 해코지라고는 할 줄을 모르고 제 한몸 둥그러 다니는데, 구태여 구박하겠는가. 그러나 그를 안쓰럽게 여기고 그래도 깜냥깜냥 거두어 먹이는 가장 큰 이유는 그가 불구자인데다가 너나없이 고만고만하게 어렵고 고단하게 사는 자기들보다도, 동태가 여러 모로 더 저 아래쪽에 사는 처지에 있기 때문인지도 모른다. 사람들은 처지가 비슷비슷해서 서로 어르고 당기는 동안은 피차 신경을 곤두세우다가도, 상대가 형편없이 영락해 있거나 도저히 자기와는 겨룰 상대가 안 되는, 자기와는 뛰어넘을 수 없는 함정 밖에 있다고 생각하면 스스로 동정심도 생기고 느긋한 마음으로 또는 자애를 가장한 눈빛으로 그쪽을 대할 수도 있는 것이 아니겠는가.

시장 사람들이 동태를 지천꾸러기로 알면서도, 그가 자기들에게 무해

무득한 존재인데다 병신이라는 데서 나름대로의 동정을 보이고 있는 것일 것이다.

어쨌거나 동태는 이래저래 이 시장의 명물로 행세하고 있었다. 그가 며칠 안 보이면 물건을 파는 틈틈이, 그의 행방에 대해서 병아리오줌만큼의 관심을 보이기도 하고, 오늘은 어떤 식모아이의 엉덩이를 쳤다가 치도곤을 맞았다는 따위의 파한거리 화제를 놓고 웃어 대기도 했다.

아닌게아니라 동태는 그 주제에 장난이 좀 심했다. 부인네들이 아이들을 앞세우고 시장에 들어설라치면, 괜히 그 아이의 볼때기를 슬쩍 꼬집기도 하고 머리에 단 리본 같은 것을 쑥 빼 보기도 하였다. 아이가 질겁을 하고 물러서거나 앙, 하고 울음을 터뜨리면, 그게 또 좋아라고 시시덕거렸다.

"아가, 아가, 과자 사 주께."

그는 그러면서 실제로 호주머니 깊숙이 꼬불쳐 두었던 돈을 꺼내서 생판 모르는 아이들에게 과자를 사 주기도 했다. 그런가 하면 말만한 식모애들이 장바구니를 들고 낑낑거리고 가는 걸 보면, 얼른 그 장바구니를 빼앗아 들고 저만큼씩 들어다 주었다. 하지만 대개의 처녀들은 그가 옆에 오기만 해도 기겁을 해서 피해 달아났고, 경우에 따라서는 들입다 욕을 해 댔다.

"꼴값하고 있네. 누가 너더러 들어다 달랬어?"

"늬가 이뻐서 그런다."

"병신 육갑하고 있네. 저리 비켜."

"아니다. 내 들어다 줄란다."

"이게 그냥."

"히히히."

시장 상인들은 그런 실랑이를 볼 때마다 히죽히죽 웃었다. 꼴에 불알

달린 태를 낸다느니, 그래도 사내꼭지라고 행세를 하려 든다느니, 나물 전 아낙네도 푸줏간 아낙네도 조개장수 아낙네도 해낙낙하니 웃었다.

동태가 언제 이 시장바닥에 나타났으며 부모가 있는지 없는지, 나이가 몇이나 되는지 아무도 몰랐지만, 아무튼 이 시장 사람들은 동태로 해서 수시로 웃기도 하고 죄없는 그를 상대로 괜한 짜증을 좍좍 뿌리기도 하였다. 그는 이 시장의 구색이었다. 오만 가지 물건 중의 하나 같은.

그런 어느 날이었다. 저녁 너덧 시가 가까이 되어서 모두들 이제부터 한바탕 물건들을 팔아 보려고 벼르는 시간이었다. 손님들이 슬슬 몰려오기 시작하고 모두들 조금씩 언성을 높이면서 손님들을 끌고 있을 때였다.

누군가가 갑자기 저 불! 저 불! 하면서 고개를 쳐들고 겁에 질린 모습으로 시장 복판에 있는 육중한 전봇대를 가리켰다. 그 사람의 손짓을 따라 모두들 전봇대를 쳐다보았다. 이게 웬일인가. 전봇대 위에 얌전히 얹혀 있던 변압기가 피식피식 소리를 내면서 불꽃을 피우고 있었고, 이미 전선 하나에는 불이 붙어 있었다.

"빨리 소방서에 전화해욧."

"112를 부르라구."

"112가 뭐야, 119지."

그 우환 중에도 누군가가 전화번호를 정확히 정해 주었다.

"불이야."

"누가 빨리 올라가 봐야지."

시장 사람들은 제각기 아우성을 치면서 전화를 걸고, 힌쪽에서는 벌써 돈궤와 물건을 치우는 등 삽시간에 아우성이 일어났다. 모두들 우왕좌왕만 할 뿐 어찌할 바를 모르는 상태였다.

이 때였다.

"저게 누구야?"

"아니, 동태 아냐?"

그랬다. 어느 틈에 동태가 불편한 다리를 끌고 전봇대를 기어오르고 있었다.

"저게 뭘 하겠다는 거야?"

"그러게 말야."

동태는 어느 새 전봇대를 다 올라가서는 장갑 낀 손으로 이것저것 매만지고 변압기를 탕탕 두들겨 보기도 했다. 아, 그런데 이게 어찌 된 일인가. 갑자기 변압기의 스파크가 멎고, 타들어 가던 전선이 허연 연기를 내뿜으며 차츰차츰 꺼지는 것이 아닌가. 지켜보던 사람들이 한순간 숨을 죽이더니 곧 와, 하고 환성을 질렀다. 동태는 불을 끄자 올라갈 때와는 달리 주룩주룩 전봇대를 타고 내려왔다. 사람들이 그를 감쌌다.

동태는 어떠냐는 듯이 한껏 어깨를 펴 보였다.

"잘했다, 동태야."

"언제 그런 기술을 배웠니?"

모두들 영웅처럼 그를 떠받드는데도 그는 희한하게도 아무 말이 없이, 아니 조금은 부끄러운 표정으로 옆에 있는 순댓국집 포장을 젖히고 들어갔다.

"이건 병신 육갑이 아니라 칠갑이다."

누군가가 결코 비꼬는 뜻만은 아닌 농담을 크게 외치자 모두들 와그르르 웃어 댔다. 그 웃음 속에는 사람일이란 참 모를 일이라는 존경의 뜻이 포함되어 있는 것같이도 들렸다.

비오는 날 풍월 읊기

비가 추근추근 내리는 한낮, 시장 안은 눅눅하고 고리타분하게 축 처져 있다. 허연 배때기를 까뒤집고 벌렁 누워 있는 가자미란 놈은 눈을 지그시 감은 채 자빠져 있고, 건어물상 처마에 대롱대롱 매달린 굴비란 놈도 여태 임자를 못 만나 누렇고 찌든 채 말이 없다. 깡마른 놈은 지아비이고 통통히 알이 밴 건 여편네격이고 조금 작은 건 큰자식 뻘이 되는 건지 원…… 젓가게에선 퀴퀴하기가 꼭 무슨 그런 냄새 같은 냄새가 후덥지근한 공기와 얼버무려져 있다. 배추도 시들고 열무도 파짠지가 되어 있고, 그래도 좀 생기가 돌아 보이는 건 푸줏간에 달아매 놓은 시뻘건 고깃덩어리뿐이었다.

나물전 여자는 생기기도 콩나물처럼 삐죽 말라 있는데 몸에는 고사리 냄새가 나는 것 같고, 건어물상 아저씨는 북어처럼 생긴 것 같고, 닭장수 아줌마는 노상 꼬꼬댁거리고, 복숭아를 파는 소녀는 얼굴이 잘 익은 자둣빛이다.

우당탕뚜당탕 시끌벅적하고 꽥꽥 소리들을 지르고 들입다 엎어지고 넘어지고 와그르르 쏟아지고 주워 담고, 짐이요 비키세요 비키세요, 짐꾼이 툭탁치고 가던 진창길이 지금은 조용한, 도대체 시장바닥이 이렇게 한가할 수 있을까 싶은 때가 바로 지금과 같은 때이다. 많이도 적게도 아닌 비가 추적추적 내리는 변두리 시장의 한낮이 그랬다. 그래서 한두 시간 후면 서로 손님을 빼앗기지 않으려고 아웅다웅할 여자들이 무료를 삭이느라 입담을 늘어놓는다. 이웃해 있는 채소장수, 나물장수, 간장장수, 튀김장수가 하품을 하면서 이띠금 코를 헹 풀면서…….

"이봐요, 행근이 엄마. 행근이 고모 시집 갔소?"

"갔지."

"신랑이 뭐하는 사람이라요?"

"기술자래."

"잘했구먼. 요즘은 기술자가 젤이라. 우리 경칠이도 기술학교에 넣으려고 그러지."

"아니, 장사 안 시키고?"

"여보시오. 장사도 밑천을 대줄 만해야지, 배추 몇 뿌리 파는 주제에 어떻게 장사를 시키겠소."

"그렇기는 그래. 사실 말이지, 우리가 애들 키워서 가르치는 재미로나 살지 맨날 이 타령을 무슨 재미로 하겠소."

"그래도 행근이 엄마는 아직 젊고 또 행근이 아버지가 힘이 단단해서 안 좋겠소."

"힘만 좋으면 뭘 한다우."

"아따, 다 알면서 그러네. 밤에 잘 쓰다듬어 주고 안 좋은가베."

"오메, 못할 소리가 없네, 경칠이 아버지는 힘이 없어서 따둑거려 주지 않습디까?"

"말도 마시오. 요긴한 대목에 가면 피그르르한다우, 호호호."

"무슨 얘기들을 그렇게 재미있게들 하시오?"

간장장수 여자가 끼여들었다.

"아니, 아무것도 아니에요. 호호……."

"비가 오니까 어찌 마음이 싱숭하네."

튀김장수가 끼어들었다.

"오늘 같은 날은 장사고 뭐고 다 집어치우고, 집에서 영계나 푹 고아 먹으면서 낮잠이나 늘어지게 잤으면 좋겠구먼."

"팔자 좋은 소리 하고 있네."

"아니, 따져 봅시다. 우리가 그만한 팔자도 못 될까?"

"팔자 소리들 하지 마시오. 나는 내 팔자만 생각하면 오장이 뒤틀린다우."

"왜 또 갑자기 저 여편네가 시무룩하지?"

"생각해 봐. 청상과부가 되어 가지고 자식 하나 둔 것이 군대가서 사고로 다리가 분질러졌다고 통지가 안 왔겠소."

"저런. 아니, 그 잘생긴 아들이 그랬수?"

"잘생겼는지 못생겼는지 그랬다우."

"안되는 놈은 넘어져도 코가 깨진다고 어찌 또 그랬을까."

"그러게 말이요."

여자들의 얘기는 갑자기 추레해지기 시작했다. 비는 여전히 치적치적 오고, 그래 그런지 후줄근해 보이는 그들의 몰골도 풀이 죽어 있었다.

이 때 어떤 잘 차려입은 여자 손님이 바구니를 들고 가까이 오자 팔자타령을 하고 있던 여자가 갑자기 소리를 높이며 활기를 찾았다.

"이리 오세요. 오늘 아침에 받아온 물건이에요, 이리 오세요."

그러자 다른 여자들도 생각난 듯이 자리를 고쳐앉으며 제정신들을 차렸다. 무언가를 깜박 잊고 있었다는 듯이.

시장은 다시 생기를 찾고 눈알이 핑핑 도는 삶의 터전으로 돌아가기 시작했다. 비는 오고 있었지만 그러나 언제는 시장에 비가 안 왔을까.

한승원

목 선
한I(어머니)

지은이

1939~ 전남 장흥 출생. 1968년 《대한일보》 신춘문예에 단편 〈목선〉이 당선되어 문단에 데뷔. 한국의 전통사회와 소박한 농민들의 정한, 그리고 한국적 샤머니즘 등을 드라마틱한 사건으로 구성하고 있다. 단편 〈미친 소리〉, 〈멍청쟁과 이거식이〉, 중편 〈아리랑 별곡〉, 〈안개 바다〉, 장편 〈일부변경선〉, 〈불의 딸〉 등이 있다. 1982년 〈누이와 늑대〉로 대한민국 문학상을 수상했다.

목 선

　봄부터 가을까지 채취선을 빌려다 쓰기로 하고, 지난 해 겨울 동안 양산댁네 김 채취 머슴을 산 석주는 어처구니가 없었다. 양산댁이 하루 아침에 마음이 싹 변하여 채취선을 못 내주겠다고 발뺌을 하는 것이니 말이었다.

　스물다섯에 홀어미가 되어, 올해 중학교에 들어가게 되는 아들과 단 둘이 사는 여자로, 이 마을에선 흔하지 않은 채취선을 한 척 가졌기로니 이럴 수가 있느냐 싶었다.

　그 채취선은 육 년 전 그녀가 양산에 있는 친정 산에서 나무를 얻어다 지은 것인데, 그것을 부리면서는 해마다 김을 잘 해먹었노라고 언젠가 그녀가 말했었다. 그래서 선뜻 내어 주기가 아깝고 짠한지 몰랐다. 그러나 한번 빌려 주겠다고 단단히 하였던 약속을 이렇게 내리씻어 버릴 수 있느냐 싶었다.

　석주는 꾀죄죄하게 검은 때가 엉긴 마루 위에 걸터앉아서 '새마을' 담배 한 개비를 꺼내 물었다. 허위대가 큰데다 누른빛 나는 머리칼이 더부룩하고 눈이 부리부리한 그는, 뾰로통해서 토라져 앉은 양산댁의 갸름한 얼굴을 건너다보았다.

　양산댁은 작달막한 몸집에 거무스름한 얼굴빛이 조금 야윈 듯했다. 양미간과 볼에 잔주름이 한둘 잡혀 있었다. 이마가 넓고 코가 작았다.

사십대에 들어선 여자치곤 매끈하고 앳된 얼굴이었다. 그녀는 입술을 뾰족하게 오므리고, 부어오른 듯 부석부석한 눈두덩이 툭 까지도록 눈살을 찌푸린 채 바다를 바라보고 있었다. 걸핏하면 커다란 떡니를 하얗게 내어 놓고 환히 웃곤 하던 여자가 어쩌면 저렇게도 사납게 일그러진 얼굴을 할 수 있을까 싶었다.

그는 버팀목처럼 내민 뻐드렁니 때문에 더 튀어나온 두꺼운 입술로 담배개비 끝을 꼭 누르며 성냥을 그어 댕겼다. 담배 연기를 깊숙이 빨아들였다. 양산댁이 태수의 농간에 넘어가고 있음에 틀림없다 싶었다. 간밤 태수가 하얀 두루마기에 중절모자를 비뚜름하게 쓰고 쿠릿한 술냄새를 풍기며 왔다. 볼일이 있어 읍에까지 나간 김에, 양산댁의 심부름으로 그녀네 아들 태범의 입학금을 학교에 넣었는데, 그 영수증을 넘겨주려고 온 것이라 했다. 영수증을 건네는 데 그처럼 오랜 시간이 걸릴까 싶었다.

태수는 두어 시간 동안이나 양산댁과 무엇인가를 도란도란 이야기하다가 돌아갔다. 모퉁이에 있는 방에 앉아서 이야기 소리가 들려오는 안방 쪽으로 귀를 기울여 보았지만, 너무 작은 소리로 말을 하기 때문에 한 마디도 알아들을 수가 없었다. 다만 태수가 돌아갈 때 마당에서 하는 소리만은 귀를 기울이지 않고도 알아들을 수 있었다.

"어두워서 어쩌께라우?"

"별이 환하게 비쳐 준께 괜찮겠소."

태수가 다녀가기 전까지만 하여도 양산댁은 이쪽에서 채취선을 내어줄 채비를 하고 있었다. 전날, 노루목 등성이 너머로 해가 떨어질 무렵이었다. 양식징에 흩어진 말목들을 모두 빼어다가 그녀네 집 모퉁이 옆에 쌓고 나자, 양산댁은 하얗게 떡니를 내놓고 이쪽을 향해 웃었다.

"욕보셨소만은 내일 배 타고 갈라먼 오늘 아주 깨끗이 닦아 놓으씨요."

말목을 싣고 오느라고 채취선은 갯벌투성이가 되어 있었다. 그는 이맛살을 찌푸리고 양산댁을 향해 웃으며, 피로하니 내일 아침에 닦아 타고 가겠노라고 했다.

석주는 어제 그처럼 배를 시원스럽게 내어줄 듯이 말하던 양산댁의 웃는 얼굴을 생각하며 엉성한 돌담 너머로 모래밭을 바라보았다.

조개껍데기들이 하얗게 빛나고 있었다. 찰싹찰싹 모래톱을 핥으며 부서지는 물결들이 햇볕을 받아 고기비늘처럼 빛났다. 황소만큼한 시절바위가 바닷물에 허리를 적시고 있었다.

그 앞에 갯벌투성이가 된 채취선 한 척이 일렁이는 물결을 따라 이물을 자꾸 주억거렸다. 다리뼈가 부러지더라도 저걸 빼앗아 가든지, 자기가 죽고 말든지 하리라 했다. 문득 몸집은 땅딸막하고 조그마하지만 다부지고 오기 많은 태수의 툭 불거진 광대뼈를 생각하며 혓바닥으로 입안을 쓸었다. 바특한 침이 혀끝에 뭉쳐졌다. 탁 뱉었다. 모래가 하얗게 깔린 마당으로 침방울이 툭 떨어졌다. 스무 살 안팎 때엔 더러 씨름판에 나가 송아지를 끌어오기도 했다는 태수의 딱 바라진 가슴팍과 굵은 팔뚝을 생각하고 이를 사려 물었다. 코가 주먹처럼 뭉툭하고 양볼에 얽은자국이 있는 얼굴을 험상궂게 일그러뜨렸다. 아무리 긴다난다하는 태수이지만 무서울 게 없다고 생각했다. 하라지 끝엘 내려오기만 하면 바닷물 속에 거꾸로 처박아 주겠다 했다. 담배 연기를 들이마시며 바다로 눈길을 던졌다. 푸른 바다에는 한가로운 잔물결의 이랑들이 햇볕을 받아 조용하게 반짝거렸다. 그 반짝거림 속에 수없이 떠 있는 오징어잡이 배들이 장난감 배들처럼 조그맣게 보였다. 올봄 들어 오징어는 예년에 볼 수 없는 풍어여서, 하루 잡아 보통 천 원 벌이는 된다고들 했다. 곧 조급한 생각이 들었다.

어렸을 적에 머슴살이하던 집을 찾아가 헌 그물을 조금 얻어다 꾸미고 고기알붙이로 쓸 쑥대를 천관산에까지 가서 베어다 채우고 하려면 며칠은 걸릴 터인데, 그 사이에 이 풍어기를 놓칠까 싶었다. 손가락 끝이 따갑도록 타들어간 담배꽁초를 퉁겨 던졌다.

"첨에 뭣이락 했소, 당신?"

양산댁을 향해 무뚝뚝하게 말했다. 굵은 침방울이 양산댁의 거무스름한 얼굴로 튀어갔다. 양산댁이 얼굴에 튀어온 침방울을 손바닥으로 닦으며 석주를 향해 돌아앉았다.

"그런께 내가 사정 이야길 안하요?"

"무슨 사정 애기가 그렇다우, 인제 와서?"

석주는 이마와 목줄의 정맥이 파랗게 튀어나오도록 소리를 질렀다. 양산댁이 다시 바다를 향해 돌아앉으며 볼멘소리를 했다.

"암만 그래도 못할 것은 못해라우, 나도 벌어묵고 살아야 쓰겄은께."

"나는 뭐 미쳤다고 석달 동안이나 공머슴 살았는지 아요?"

"수공 준다 말이요, 근께?"

"수공 몇 푼 받을라고 머슴 살었드라우?"

"그건 당신 사정이제라우."

양산댁이 아주 막말을 하였다. 석주는 기가 막혔다.

그는 뿌드득 소리가 나도록 이를 물었다.

닥치는 대로 물어뜯고 쥐어질러 죽이고 싶은 충동이 왈칵 일어났다. 문득, 아내 복님의 하얗게 웃는 얼굴과 오 년 전, 비록 소나무 널빤지로 지은 것이긴 했지만 노르스름한 빛을 띤 것이 제법 늠름하게 보이던 자기네 채취선의 모습이 눈에 보이는 듯했다.

복님은, 군대에서 제대를 하고 돌아와 보니 기어이 이웃에 살던 김장수 백철두하고 배가 맞아, 이쪽에서 신주 모시듯 아끼고 사랑하던 채취선을 팔아 도망가 버리고 없었다. 자기의 주제에는 너무 예쁜 아내요, 자기의 재산으로선 너무 벅찬 채취선이었는지 몰랐다. 어쩌면 옛날 이 야기에 나오는 둔갑한 여우가 아내로 들어와서 마련하여 준 채취선이었 는지 몰랐다.

열 살 때부터 머슴살이를 하여 모은 밑천으로 그는 복님에게 장가를 들었다. 스물일곱 살 나던 해였다.

건너편 우산도 부둣가에다 오막집을 한 칸 짓고 살았다. 꼬박 두 해 동안 부지런히 김을 뜯어 모은 돈으로 채취선을 한 척 지었다. 철이 들 면서부터, 아내를 맞아들인 다음 내것이다 하고 채취선을 한 척 마련해 서 살아보겠다 했던 소망이 바야흐로 이루어지는구나 싶었다. 인젠 어 느 누구도 부럽지 않게 살아갈 수 있겠다 싶었다.

한데 그 해, 그러니까 스물아홉 살 나던 해 가을, 뜻밖에 소집 영장을 받았다. 호적상의 나이가 실제 나이보다 일곱 살이나 아래인 때문이었 다. 대뜸 소집 영장을 박박 찢어 버렸다. 예쁜 아내와, 비록 소나무 널 빤지로 지은 것이긴 하지만 노르스름한 빛을 띤 것이 볼수록 늠름해 보 이는 채취선을, 한 해도 부려 보지 않은 채 고스란히 두고 도저히 군대 엘 갈 수가 없었다.

그 후로는 한시도 마음을 놓을 수가 없었다. 늘 조마조마했다. 그래도 서른다섯 살 되던 해 가을까지는 무난히 넘겼다.

하나 그 해 겨울, 살갗을 깎아내는 듯한 북풍이 몹시 불어서 바다가 허옇게 뒤집힌 채 으르렁대던 어느 날, 기어이 탈이 나고 말았다. 김장 수 백철두하고 대판거리로 싸웠다. 어느 사이엔지, 예쁘장한 얼굴인데 다 하모니카를 여느 때 멋들어지게 불어 대곤 하는 백철두와 아내와의 사이가 걷잡을 수 없이 가까워진 것이었다.

겨울에서 이른봄까지 김장수를 하고 사철을 빈둥빈둥 놀며 지내는 백철두한테 아내가 끌렸는지 몰랐다. 조용히 백철두를 불러, 이쪽의 아내한테서 당장 손을 떼라고 타일렀다. 백철두는 오히려 무슨 혓바닥 자를 소리를 하느냐고 따지고 들었다. 도둑이 매를 드는 것도 이만저만이 아니었다. 울화가 끓었다. 백철두의 멱살을 틀어쥐고 부두로 나갔다. 바닷물 속에다 처박아 버렸다.

이튿날 자기는 경찰의 손에 붙잡혀 군대엘 가고 말았다. 제대를 하고 왔을 때, 아내와 살던 오막집은 텅 비어 있었다. 세간살이라곤 떨어진 양말짝 하나도 없었다. 부둣가에 둥실 떠 있어야 할 자기네 채취선은 온데간데없었다. 아내가 섬에서 온 사람한테 살림살이가 쪼들린다면서 팔아 버렸다고들 했다. 분해서 견딜 수가 없었다. 오막집을 헐값으로 팔았다. 아내와 백철두를 잡아죽이겠다 하며 서울로 갔다. 돈만 다 뿌렸다. 서울로 도망갔다는 것만 알았지, 서울의 어디에 박혀 있는 줄조차 모르는 그들을 찾겠다고 나선 자기가 얼마나 미련한 놈인가 하고, 혀를 깨물어뜯으며 돌아왔다. 이때껏 여우 같은 것한테 홀려 살아오다가 이제야 깨어났노라고만 생각하여 치우자 하였다.

한데 이번의 채취선을 빌려 쓰기로 하고 머슴살일 한 일도 꼭 여우 같은 것한테 홀리고 있는 것만 같았다. 어쩌면 복님이 양산댁으로 둔갑을 했는지도 모른다 싶었다.

집 판 돈을 다 뿌려 버리고 와서부터 그는 매일 날품을 들었다. 태어난 고향이었지만 우산도에는 발도 붙이지 않고 덕도 일우만 쓸고 다니며 뒷간도 퍼 주고 거름도 옮겨 주었다.

작년 겨울, 호된 첫추위도 아직 오지 않고 연일 따뜻한 날씨가 계속되던 어느날, 하라지 끝에 사는 양산댁네 뒷간 푸는 일을 해 주었다. 그때 양산댁은 혼잣손에 바쁘게 김을 떠서 널고 벗기곤 하고 있었다. 뒷간을 다 푸고 마루에 앉아 담배 한 대를 피우는데 양산댁이 어느 새 보아 두었던지 술상을 내다 놓았다. 컬컬하던 김이라 두어 잔을 단숨에 들이켜고 나자, 양산댁이 어색하게 웃으며 말했다.

"우산 양반에게 어려운 청이 있소."

사근사근한 무김치를 우득우득 씹으며 양산댁의 거무스름한 얼굴을 건너다보았다. 양산댁이 이마로 흘러내린 머리칼을 쓸어올리며 마주 건너다보았다.

"날품 들러 다니느니, 우리 집에서 올 겨울 동안 해의나 해주씨요."

"머슴 살자 그 말씀이시오?"

"날품 든 것보다 낫게 수공 드리께라우."

하며 그쪽의 사정 이야기를 늘어놓았다. 김 채취 머슴으로 있던 친정편 동생이 엊그제 군대엘 갔기 때문에 혼잣손이 되었다 했다. 아들이 하나 있기는 하지만 육학년이기 때문에 학교엘 아침에 갔다가 늦게 돌아오곤 하여 일을 부릴 수가 없다 했다. 바다에 있는 김은 갯마을 사는 태수가, 죽은 남편하고 살던 정으로 보아 그런지 자기네 것을 뜯어 오는 김에 한 줌씩 뜯어다 주긴 하지만 그것으로 어디 분에 차기나 하느냐 했다.

"머슴 살면 뭣할 것이요?"

퉁명스럽게 내뱉었다. 열 살 때부터 머슴살이를 한 밑천으로 아내를 구하고 채취선을 얻게까지 되었었지만, 지금 남은 것이 빈 손바닥 두 장뿐인 자기로서는 도저히 또 머슴살이를 하겠다고 나설 생각이 없는 것이었다.

"그럼 밤낮 날품만 들어묵고 살다 늙어죽을라우?"

양산댁의 신경질적인 대꾸에 흠칫 말이 막혔다. 그쪽의 말이 옳다고 생각되었다. 지금은 젊으니까 그렁저렁 지내도 되지만 늙어지면 몸을 의탁할 만한 곳이 있어야 할 것이니 말이었다.

막걸리를 한 사발 들어 단숨에 들이켰다. 투우 하고 거칠게 숨을 내

쉬었다.

"손해나게는 안해 드리께, 우리 집에서 머슴 삽시다."

얼른 대답을 않고 있자 양산댁이 바싹 졸라댔다.

"원하는 대로 수공으로 달라면 수공으로 드리고, 내년 봄부터는 배를 놀려 두게 될 턴께 배를 빌려 달라면 배를 내어드릴께라우."

채취선을 내어줄 수도 있다는 말에 귀가 번쩍 트였다. 머슴살이를 해서 돈을 모아 채취선을 마련하기란 너무 까마득한 일이어서 숫제 포기하는 게 좋을 일이었다. 그러나 채취선을 당장 내어주겠다 하는 데는 마다할 수가 없었다. 채취선만 손에 들어온다면 혼잣손으로라도 한밑천 두둑이 마련할 자신이 서는 것이었다.

"정말이요?"

"뭘라고 거짓말해라우?"

"그럼 내년 봄부터 가을까지 배 내어주고, 수공은 수공대로 줄라우?"

양산댁이 대번에 그렇게 하자고 했다.

석 달 동안을 꼬박 부지런히 일했다. 바다에 나가서 모든 일을 자기의 마음 내키는 대로 서둘러 하다 보니, 도무지 머슴살이하는 것 같지가 않았다.

집 안에 들어와서도 마찬가지였다. 양산댁이 건장에서 해가 기울도록 바쁘게 허덕이는 것을 도와, 다 못 벗긴 마른 김을 나란히 앉아 벗겼다. 그런 날 밤이면 양산댁이 김을 굽는다, 매생이국을 끓인다 하여 저녁상을 무겁게 차려 들이곤 하였다. 그러다 보면 얼핏 양산댁과 자기가 아주 정다운 부부인 것만 같은 착각이 들곤 하였다. 착각인 줄 알면서도 그 착각을 늘 되씹는 것이 싫지 않았다. 또한 이듬해엔 채취선을 빌려 쓰게 된다는 것을 생각해 보면 기쁘기 한이 없었다. 그것으로 봄엔 오징어잡이를 하고 여름엔 장어 줄낚시라도 하면, 가을에는 다 찌그러진 것이라고 하더라도 자기 것으로 채취선 한 척을 구할 수 있을 것이니 말이었다. 이듬해 봄 여름에 더 부지런히 벌면 김발을 막을 수 있을 것이었다. 그렇게 되기만 하면 마음 고운 여자를 한 사람 아내로 맞아들이겠다고 하였다. 도망간 아내가 깜짝 놀라고, 양산댁이 부러워서 못 견딜 만큼 재미나는 살림살이를 꾸미겠다 하였다.

했는데 그런 꿈이 산산이 부서진 것이었다. 마루에 걸터앉아 멍청히 바다를 내다보던 석주는 벌떡 일어서면서 소리쳤다.

"그래, 죽어도 배는 못 내주겠다 그 말이지라우?"

"허리에 치마는 둘렀어도 빈말을 안하는 사람이요."

양산댁이 바다를 바라보며 싸늘하게 내뱉었다. 얼굴을 잔뜩 찌푸리고 있었다.

석주는 흥 하고 콧방귀를 뀌며 마당으로 내려섰다. 그러자 마루에 걸터앉아 있던 양산댁이 벌떡 일어섰다.

마당으로 내려서서 잠시 서성거렸다. 툇마루 밑에서 새끼줄 토막을 몇 개 주워 둘둘 말아 쥐었다가, 그것을 마당 가운데다 아무렇게나 팽개쳐 버렸다. 바가지를 찾아 들었다. 팽개쳐 버렸던 새끼줄 토막을 다시 주워들었다. 시절바위 앞으로 갔다. 채취선 위로 뛰어 올라갔다. 바닷물을 퍼서 뱃전에다 끼얹고, 말아 쥔 새끼줄 토막으로 박박 문질렀다. 뱃전에서 시꺼먼 갯벌물이 흘러내렸다.

마당 가운데 우두커니 서서, 그녀의 신경질적으로 서둘러 대는 모습을 물끄러미 바라보던 석주는 문득, 그녀와 함께 바다로 김을 뜨러 갔던 날 저녁의 일이 생각났다.

겨울철에 어울리지 않게 궂은비가 이틀 동안이나 계속 내리다 갠 날이었다. 양산댁이 집 안에서 건장의 일을 할 게 없다며 김을 함께 뜨러 가자고 했었다.

마침 날이 저물어지면서 썰물이 지곤 할 때라, 어두워지기 전에 두 사람이 힘을 모아 욕심껏 김을 뜯어 오겠다는 심산이었을 것이었다.

그 날은 저녁놀이 유독 붉었다. 바다의 물결이 붉고 푸른 물감을 온통 칠해 놓은 듯 찬란하게 빛나며 출렁거렸다. 멀지 않게 바라다보이는 하라지 끝의 시절바위는 한쪽이 새까맣게 물들었는데, 다른 한쪽은 피에 젖은 듯 빨갛게 불타고 있었다. 김발에 채취선을 붙이고 뱃전 앞에 쭈그리고 앉아 바쁘게 김을 뜯고 있던 이쪽은 갑자기 채취선이 한 쪽으로 기우뚱하기에 깜짝 놀라 고개를 들었다.

옆에 앉아서 김을 뜯던 양산댁이 벌떡 일어서서 이물 쪽으로 걸어가고 있었다. 덕판 앞까지 간 그녀는 물 묻은 손을 갯두루마기 자락에다 닦으며 돌아섰다. 고물로 갔다. 사방을 둘러보았다. 양식장 여기저기에는 마을사람들이 김을 뜯고 있었다.

그녀는 다시 이물로 달려갔다. 덕판 앞에서 우뚝 섰다. 잠시 망설이며 이쪽을 바라보았다. 얼굴을 잔뜩 찌푸린 채 엉거주춤 옆으로 돌아앉으며 통 넓은 갯바지를 끌어내렸다. 그녀의 얼굴이 저녁놀에 빨갛게 물들어 있었다. 고개를 떨구고 김을 뜯었다. 갑자기 이쪽도 오줌이 누고 싶어졌다. 참았다가 조금 어두워지면 누리라 했다. 파란 물결을 들여다보며 김을 뜯기는 뜯지만, 머릿속에는 자꾸 그녀의 저녁놀에 발갛게 물든 얼굴이 그려졌다.

뱃전을 찰락찰락 두드리는 물결 소리에 섞여, 뱃바닥에 괸 물로 내리뻗치는 그녀의 오줌줄기 소리가 쉬이 하고 들렸다. 그 소리를 들으며 김을 한 줌 뜯었다. 다시 한줌 뜯었다. 아직 그 소리는 줄곧 줄기차게 뱃바닥을 울리며 이쪽의 가슴 속으로 전류처럼 울리어 왔다. 그 울림이 배꼽 아래로 번져 갔다. 쉬이 소리가 점차 약해졌다. 군침이 입 안에 괴었다. 꿀떡 삼켰다. 쉬이 소리가 멎었다. 자기도 모르는 사이에 흘끗 덕판 앞을 바라보았다. 그녀가 막 일어서면서, 오줌을 누기 위해 엉덩이 밑으로 끌어내렸던 속옷을 올려 입고 있었다. 저녁놀 때문에 빨간 물이 든 것처럼 보이는 하얀 속옷이 상어의 등처럼 둥그런 살결을 덮고 있었다.

그녀가 이쪽을 흘끔 바라보며 재빨리, 역시 빨간 물이 든 것처럼 보이는 하얀 속치마를 훌훌 털어내렸다. 그 위로 통 넓은 갯바지를 끌어 올려 입었다. 그녀의 얼굴이 타는 듯이 빨갰다.

이쪽은 또 후딱 고개를 떨구고 김을 뜯었다. 그녀가 주춤주춤 걸어와서 김구럭 옆에 쭈그리고 앉았다. 아직 시울도 차지 않은 김을 다독거렸다. 어쩌다 한 가닥씩 섞여 있기 때문에 골라낼 필요도 없는 파래 가닥을 골라내고 있었다. 이쪽의 옆으로 다가앉아 김 뜯기를 주저하고 있음에 틀림없었다.

하나의 고용인으로서만 대수롭지 않게 생각했던 이쪽이 갑자기 자기의 육체 일부를 보아 버린 하나의 어엿한 남성으로 그녀의 가슴속에 나타나고 있는지도 몰랐다.

그러나 수절을 하고 있는 과부인 그녀로서는 이쪽과 단둘이 조그마한 채취선 위에서 나란히 앉아 김을 뜯기가 서먹서먹해지는지 몰랐다.

이쪽도, 쉬이 하는 오줌줄기 소리와 하얀 속옷과 상어의 등처럼 둥그런 엉덩이를 바라보면서 새삼스럽게 양산댁이 하나의 여자요, 더구나 임자 없는 과부라는 사실에 야릇하게도 가슴이 설레고 있었다. 분위기가 갑자기 어색하게 느껴졌다. 무슨 말을 꺼내야 될 것만 같았다.

"얼릉 뜨으시오, 저물겠소."

파란 바닷물 속에 눈길을 묻은 채 불쑥 말했다. 고용인으로서 주인에게 할 성질의 말이 아닌데 그런다는 생각이 들어 더욱 어색한 느낌이 들었다. 그녀가 용기를 낸 듯 이쪽의 옆으로 다가앉으며 김을 뜯었다.

저녁놀이 꺼지면서 땅거미가 깔리고, 그 땅거미가 몰고 온 듯 쌀쌀한 바람이 불기 시작했다. 양식장 여기저기에서 삐거덕삐거덕 노 젓는 소리가 들려오기 시작했다. 김을 구럭에 가득히 뜯어 담은 채취선들이 갯마을 앞 부두로 들어가고 있었다. 오줌을 누어야 하겠다고 생각하며 고개를 들었다.

"석주, 고만 가세."

옅은 어둠이 깔린 김발 아래쪽에서 태수가 낡은 채취선을 저어 가며 말했다. 이쪽하고는 마주 앉아 술 한잔 나누며 정담 한번 건네본 일 없는 사이였지만, 여느 때나처럼 태수 쪽에서 다짜고짜로 '하시오' 하지 않고 '하소' 하니까 할 수 없이 이쪽에서도 '하소'로 받으며 말만은 허물없는 사이처럼 하고 지내는 처지였다.

"먼저 갑시다. 두 말뚝 새만 더 뜯어 갖고 갈라우."

양산댁이 고개를 들고 받았다.

"좀 뜯어주리라우?"

태수가 노를 놓으며 돌아다보았다.

"말이라도 고맙네."

이쪽이 김 한 줌을 구럭에 던져 넣으며 퉁명스럽게 받았다. 방광이 뻐근하게 아파왔지만 이를 악물고 참았다. 좀 어두워지면 오줌을 누리라 했다. 거멓게 우거진 김발 사이로 스며들듯 미끄러져 가는 낡은 채취선 위에서 태수가 이쪽을 향해 말을 던졌다.

"달 밝은께 천천히 해갖고 오소."

거먼 소록도 위에 턱이 조금 찌그러진 하얀 달이 둥실 떠 있었다. 좀 더 깊은 어둠이 밀려드는 듯하자 달이 더욱 하얗게 빛났다. 뱃전에 와 부딪는 물결이 하얗게 부서졌다. 하얗게 부서지는 물결 속에서 얼핏 저녁놀을 받아 붉게 물이 든 듯하던 하얀 속옷과 상어의 등처럼 둥그렇던 엉덩이의 살결이 보이는 듯했다.

찰락거리는 물결 소리에 섞여 쉬이 하는 오줌줄기 소리가 뱃바닥을 타고 가슴속으로 쩌릿하게 울려 오는 듯했다. 그 쩌릿한 울림은 이상한 열기를 뿜게 하였다. 아내 복님의 하얗게 웃는 얼굴이 떠올랐다. 불처럼 뜨겁게 달아 가슴 속을 파고들던 부드러운 살결이 생각났다. 그 살결이 파들파들 몸부림칠 때 이쪽에서 내뿜어지던 열기가, 지금 코끝에서 뜨거운 김으로 솟고 있었다. 방광이 터질 것 같았다. 더 참을 수가 없었다. 벌떡 몸을 일으켰다.

"고만 가께라우?"

구럭의 시울 위로 두둑이 올라온 김을 다독거리며 양산댁이 말했다. 고물로 성큼성큼 걸어가다 말고, 달빛을 하얗게 받고 있는 그녀의 얼굴을 멀거니 바라보았다.

'갑시다' 했어야 할 여주인이 '가께라우?' 한다는 사실이 신기했다.

물 묻은 손을 갯바지에 쓱쓱 닦아 씻고 허리띠를 풀면서 고물 쪽으로 돌아섰다. 참았던 오줌이 요도를 통해 찌르르 빠져나가자 온몸에 오싹 소름이 쳐졌다. 오줌이 물로 떨어지면서 하얀 물방울을 튀겼다. 그 주르르 하는 소리도 그녀의 가슴속에 전류 같은 울림을 가져다 줄지도 모른다 싶었다.

문득 주위가 바다인데다가 조그마한 채취선이라는 한정된 장소 안에서 단둘이 있을 뿐이라는 사실이 가슴을 뿌듯하게 했다.

침을 꿀꺽 삼키며 허리춤을 여미고 돌아섰다. 또 저녁놀에 젖어 빨간 물이 든 것처럼 보이던 하얀 속옷과 속치마와 상어의 등처럼 둥그렇던 살결이 머릿속을 꽉 채웠다. 홀로 사는 여자를 홀로 사는 남자가 한 번쯤 만져 주었다고 죄가 되면 얼마나 되랴 싶었다. 그녀의 얼굴을 빤히 들여다보았다. 달빛에 젖은 그녀의 얼굴이 스무 살 안팎의 처녀 같았다.

가슴이 두방망이질을 하듯 콩콩 뛰고 코와 입에서 뜨거운 김이 새어나왔다.

그녀가 이쪽을 흘끔 보더니 일어서서 이물로 갔다. 덕판 밑에 앉으며 새우등처럼 몸을 웅크렸다. 성큼성큼 그녀 앞으로 걸어갔다. 팔짱을 낀 그녀의 한쪽 손을 훔쳐잡았다.

"양산댁 나하고 삽시다?"

"미쳤소?"

이쪽을 향해 어처구니없어하는 투로 날카롭게 말했다.

"안 미쳤은께 이러요."

"목 벨 소리 하지 말고, 얼릉 갑시다."

"당신하고 한번 살아 봤으면 원이 없겠소, 죽어도."

"춥소, 집에 가서 이약합시다."

"시방 대답해 주씨요."

그녀의 손을 쭉 끌어당겼다. 가슴을 덥썩 끌어안았다.

"이 양반이, 여그 못 놓겄소?"

유리병을 깨뜨리는 듯한 날카로운 목소리로 말했다.

"좋소, 만고에 홀애비가 홀엄씨를 한 번 건드렸다고 죄 될랍디여?"

한 손으로 목을 끌어안고 다른 한 손으로 통 넓은 갯바지의 허리띠를 잡아챘다. 허리띠가 툭 끊어졌다. 갯바지를 잡아내렸다.

"미쳤어, 미쳐? 얼어죽고 싶어서, 집에 가서 이약하잔께?"

그녀가 안간힘을 쓰고 아랫몸을 비비꼬며 바지를 붙잡았다. 그러나 이쪽의 발끝에 걸린 바지가 찍 찢어져 버렸다. 그러자 그녀가 사람 살리라는 비명을 지르며 이쪽의 몸에 찰싹 달라붙었다. 순간, 팔뚝의 살점이 섬뜩 떨어져나가는 듯한 아픔을 느끼며, 끌어안았던 그녀를 놓고 모로 벌렁 나가 뒹굴었다.

그녀가 팔뚝을 물어뜯은 것이다. 그녀는 갯바지를 벗어던지고 이물 쪽으로 달아났다. 덕판 위로 뛰어오르며 뱃전을 잡고 바닷물로 뛰어들 자세를 취하였다.

"가까이 오기만 해봐라, 콱 빠져죽어뿔 것인께."

앙칼스럽게 소리쳐 말했다. 이쪽은 이를 갈며 몸을 일으켰다. 이렇게 된 바에야 기어이 그녀의 몸을 범하고 말든지 목을 비틀어 죽이든지 하리라 했다. 그녀에게로 달려갔다. 설마 물로 몸을 던지기야 하지는 못할 것이리라 생각되었다.

"어디 죽어봐라 이년, 이 우악스런 년아."

순간 그녀가 물로 몸을 던졌다. 풍덩. 그녀의 몸이 잠긴 물 위로 물결이 하얗게 부서지며 솟아올랐다. 후두두 몸서리가 쳐졌다.

"양산댁, 내가 죽일 놈이요."

그녀는 미리 닻줄을 한 가닥 붙잡고 물로 뛰어들었기 때문에 쉽사리 배 위로 기어 올라왔다. 이쪽은 그녀의 그악스러움에 완전히 굴복을 하였다. 그날 밤 양산댁이 잠든 뒤에 이쪽은 부엌으로 가서 몰래 안방 아궁이에다 불을 지펴 주었다. 수절하는 과부를 짓밟아 주려고 한 자기는 죽어야 마땅한 놈이라 하며 혀끝을 깨물었다.

날이 밝으면 어떻게 양산댁과 그녀의 아들 태범이를 대할 수 있을 것인가 두렵기만 했다. 채취선을 빌려다가 한 밑천 장만하겠다 했던 꿈이고 뭐고 다 팽개치자 했다. 멀리 낯선 곳으로 가서 날품이나 들어먹고 살자 했다. 불을 지펴 주고 모퉁이 방으로 가서 옷보따리를 챙겼다. 마당으로 나왔다. 차가운 달빛이, 하얗게 서릿발 깔리는 마당을 비추고 있었다.

고개를 떨구고 꺼먼 자기의 달그림자를 밟으며 사립문 앞으로 갔다. 살며시 문고리를 벗겼다. 밀었다. 대로 엮어 만든 사립문이 삐그덕 하고 소리를 냈다. 그 때 안방문이 열리고 하얀 속치마 바람의 양산댁이 마루로 나오며 나지막한 목소리로 말했다.

"그거 먼 짓이요?"

깜짝 소스라치며 혀를 물고 그녀를 멀거니 바라보았다. 모래톱을 핥는 잔물결 소리가 찰브락찰브락 마당 안으로 가득히 굴러들고 있었다.

"가드라도 팔뚝이나 다 낫어갖고 가씨요."

"나 같은 놈의 팔뚝 같은 것 떨어져나가도 싸지라우."

다시 사립문을 밀었다. 그러자, 그녀가 하얗게 서릿발이 깔리는 마당에 비치는 달빛처럼 싸늘하게 떨리는 목소리로 말했다.

"남자가 왜 그런다우? 올겨울 해의 다 해 주기로 약속해 놓고. 그라고 왜 그렇게 무서워서 벌벌 떠요? 서로 말만 안 내면 될 것인디, 왜 그렇게 대가 무르다우?"

목이 메어 말끝을 흐리며 돌아서서 방 안으로 들어갔다. 방문을 쾅 닫았다. 어쩌면, 소리가 밖으로 새어나오지 않게 이불을 뒤집어쓰고 흐느껴 우는 듯한 끅끅 소리가 간헐적으로 어렴풋이 들려왔다. 은물을 칠해놓은 듯 하얗게 번쩍번쩍 빛나며 출렁거리는 바다를 멍청히 바라보았다.

석주는 담배 한 개비를 꺼내 물고 성냥을 그어댕겼다. 양산댁이 새끼줄 토막으로 뱃전을 닦고 나서 물을 끼얹어 놓자 갯벌이 묻어 꺼멓던 채취선이 노란 몸을 드러냈다.

일렁이는 물결을 따라 이물을 주억거릴 때마다 맑은 햇빛을 받아 금빛으로 반짝반짝 빛났다. 양산댁이 한쪽 뱃전을 다 닦고 다른 쪽 뱃전에 물을 끼얹기 시작했다.

"어째 그렇게 대가 무르다우?" 하던 양산댁의 말을 생각하며 석주는 이를 악물었다. 뚜걱뚜걱 모래밭으로 걸어갔다. 발목이 흠씬 묻히도록 모래밭은 푹푹 빠졌다. 노루목 응달을 향해 걸었다.

기다란 부두를 파란 바다 가운데로 죽 뻗고 있는 노루목 응달의 모래밭에는, 갯마을 사람들이 오징어 그물을 꾸미고 거기에 쑥대를 다느라고 개미떼처럼 우글거렸다. 태수가 거기에서 오징어 그물을 꾸미고 있을 것이었다.

태수의 멱살을 끌고 내려오리라 했다. 양산댁이 보는 앞에서 태수를 죽이든지 자기가 죽든지 하리라 했다. 어엿하게 아내까지 거느린데다 아들 둘 딸 둘을 낳아 기르면서, 양산댁네 아들 태범이의 진학 문제 때문입네, 홀로 하는 살림살이를 보아줍네 하고, 자꾸 찾아와서 밤늦게까지 도란거리다가 돌아가는 것 같은 것이야 이쪽하고 아무 상관도 없는 일이라 했다. 그러나 왜 이쪽이 빌려 놓은 채취선을 가로채느냐 말이었다.

석주는 흰 바지저고리를 입은 태수를 데리고 하라지 끝으로 왔다. 노루목 응달에서 하라지 끝을 향해 뻗어간 모래밭길을 걸었다. 고개를 쿡 떨구고 기다란 두 팔을 흐느적흐느적 흔들면서, 석주는 태수를 흘끔 곁눈질해 보았다.

태수는 땅딸막한 몸을 꼿꼿이 세운 채, 시절바위 앞에 정박한 채취선 위의 양산댁을 바라보며 걷고 있었다. 자기가 오징어잡이를 함께 하자고 양산댁을 꾀지는 않았으니 오해하지 말라고, 태수는 조금 전에 자신 있게 말했었다. 이쪽이 채취선을 빌려가기로 하고 머슴살이한 줄은 정말 몰랐었노라고 시치미를 뗐다. 석주는 이를 물었다. 물 묻는 뱃전이 햇빛을 받아 눈부시게 빛나는 채취선의 덕판에 물을 짝짝 끼얹고 있는 양산댁의 뒷모습을 바라보았다. 모래를 걷어 차며 성급하게 걸었다.

그들이 거칠게 모래를 밟으며 시절바위 앞으로 다가가도 양산댁은 모

르는 체, 물이 줄줄 흐르는 덕판을 새끼줄 토막으로 문질러 대기만 했다. 태수가 걸음을 멈추기가 바쁘게 석주에게 말했다.

"물어보소, 내가 먼저 양산댁한테 오징어잡이를 함께 하자고 했는가, 양산댁이 먼저 그랬는가, 원대로 물어봐."

석주의 턱을 쥐어지를 듯이 삿대질을 했다. 석주는 태수의 거무죽죽한 얼굴을 빤히 바라보았다. 이를 악물었다. 태수의 시꺼먼 속이 훤히 들여다보였다. 간밤, 태수가 와서 양산댁에게 붙였을 수작이 눈에 보이는 듯했다. 오고가던 말끝에 태수가 문득 생각난 듯이 이렇게 말했을 것이다.

"참말로 배 내줄라우?"

"놀려두기 그렇든께 내줘뿔라우."

"누구하고 할 것이요?"

"아무하고라도 맘에만 맞으면."

"마음에 맞는 사람이 어디가 있어사 안하요."

양산댁이 가볍게 한숨을 쉬자 태수가 대뜸,

"글쎄라우, 나도 작년에 같이 했던 사람이 마음에 안 맞어서 다른 사람을 골라보고 있는디 그것이 영 곤란하요."

그러자 양산댁이 반색을 하며,

"아니, 순덕이아부님도 아직 어울려 오징어잽이할 사람 못 구해겠소?"

응수를 했을 것이었다.

석주는 태수의 멱살을 재빨리 움켜잡았다.

"요새끼, 그런 걸 따지자고 널 데리고 내려왔는 줄 아냐? 양산댁 보는 앞에서 물 속에다 콱 처박아 죽일라고 그랬다."

주먹을 부르쥐어 태수의 눈앞에다 들이댔다. 태수는 가소롭다는 듯이 석주가 하는 대로 몸을 맡겨 주며 말했다.

"어디, 너 하고 싶은 대로 해 봐라."

"안 죽고 싶으면 바른 대로 대라."

"마?"

태수는 화닥닥 석주의 손을 비틀어서 뿌리쳐 버렸다. 석주는 날쌔게 빠져나간 태수를 붙잡으려고 쫓았다.

양산댁은 새끼줄 토막과 바가지를 뱃바닥에 내던졌다. 덕판 앞에 우뚝 서서, 두 사람의 으르렁대는 꼴을 바라보며 부들부들 몸을 떨었다.

태수가 두어 걸음 뒷걸음질을 치며 피하는 체하더니 석주의 가랑이 속으로 파고 들어갔다. 씨름을 하듯 석주의 가랑이를 걷어서 배에 붙였다가는 냅다 내리쳐 버렸다. 석주는 태수의 허리띠를 틀어쥔 채 모래 위로 꿍 나가떨어졌다.

태수는 나가떨어진 석주의 가랑이 속에 끼여 함께 나동그라졌다. 석주는 태수의 허리를 끌어안았다. 두 다리로 태수의 아랫도리를 감았다. 눈을 감고 데굴데굴 굴렀다. 등줄기와 뒤통수가 질퍽 바닷물 속에 잠겼다. 잔물결이 여리게 찰싹거리는 모래톱에까지 뒹굴어 온 것이었다. 순간 석주는 가슴팍의 살점이 한 점 뚝 떨어져나가는 듯한 아픔을 느꼈다.

"으윽."

태수가 그의 가슴팍을 물어뜯은 것이었다.

석주는 이를 뿌드득 갈며 다시 한 번 힘껏 뒹굴었다. 태수가 물 속에 잠겼다. 석주는 태수의 머리를 가슴으로 덮쳐눌렀다.

태수는 물 속에서 석주의 팔을 뿌리치려고 기를 쓰고 허위적거렸다. 바닷물을 꿀꺽꿀꺽 삼켜 댔다. 마치 빈 병을 물 속에 처넣었을 때처럼 둥그런 공기방울만 부글부글 올라왔다.

"실컷 퍼묵어라, 내 가슴 뜯어묵은 새끼야, 배가 터지도록 퍼묵어라."

석주는 몸을 부르르 떨면서 허위적거리는 태수의 몸을 전신으로 누르고 소리쳐 말했다. 태수가 두 손을 석주의 겨드랑이 사이로 뻗쳐 내젓자,

"사람 죽네, 사람 죽어."

양산댁이 치맛자락을 걷어 여밀 사이도 없이 앙칼스럽게 외치며 물로 뛰어내렸다. 주먹으로 석주의 등을 쿵쿵 때렸다.

석주는 태수의 멱살을 잡아 벌떡 일으켜서 시절바위 앞으로 밀어던졌다. 태수는 허리춤이 잠기는 물 속으로 거꾸러졌다 허위적거리며 일어섰다. 간신히 시절바위 모서리를 붙잡고 섰다. 숨을 가쁘게 쉬며 석주를 돌아다보았다. 부들부들 몸을 떨면서도 석주를 날카롭게 쏘아보았다. 양산댁은 잠시 두 사람을 번갈아 보다가 채취선 위로 뛰어 올라가며 말했다.

"배 못 내주겠소, 아무한테도 못 내줘라우."

시절바위에 맨 밧줄을 풀고 덕판으로 달려가서 닻을 캤다. 채취선이 바다를 향해 둥실 떠나갔다. 석주는 픽하고 웃었다.

"이번엔 니 차례다, 이년아."

바닷물로 뛰어 들어갔다. 배를 향해 헤엄쳐 갔다.

닻을 캐어 실은 채취선은 시절바위 쪽으로 이물을 빙그르르 돌리더니 바다 가운데로 밀려갔다.

석주는 너덧 걸음 헤어가서 채취선 뱃전 위로 한 팔을 척 걸쳤다. 몸을 솟구쳐 배 위로 올라갔다.

닻을 덕판에 얹고 노를 걸어 저으려던 양산댁은 우두커니 서서, 머리칼과 옷에서 물이 줄줄 흐르는 석주의 험상궂게 일그러진 얼굴을 바라보았다.

그녀의 얼굴은 하얗게 핏기가 가셨다. 그녀는 눈을 밑으로 내리깔며 고개를 돌렸다. 뱃바닥에 털썩 주저앉았다. 석주는 몸에 착 달라붙은 옷

자락을 털털 떨며 그녀의 앞으로 걸어갔다.

"쌍년아, 사람을 어떻게 보냐."

왁 울음이 터져나올 것만 같았다. 이를 악물었다. 양산댁의 파랗게 질린 얼굴을 노려보았다. 양산댁은 노루목 응달로 눈길을 뻗쳤다. 노루목 응달의 모래밭에는 사람들이 오징어그물을 꾸미느라고 우글거리고 있었다. 모두들 바쁘게 서두르고들 있었다. 석주는 양산댁의 저고리 앞섶을 움켜잡았다.

"대 무른 놈한테 한번 죽어 볼래? 이 여우 같은 년아."

목이 칵 메었다. 아내 복님의 하얗게 웃는 얼굴이 눈앞에 보이는 듯했다. 닥치는 대로 쥐어지르고 걷어 차서 바닷물 속에 내리꽂아 죽이고 싶은 충동이 온몸을 부르르 떨게 했다.

"배 가져가씨요."

양산댁이 체념을 한 듯 풀죽은 소리로 말했다.

배는 둥실 바다로 떠밀려 갔다. 서풍이 건들건들 불고 있었다. 양산댁이 먼 바다를 바라보며 말을 이었다.

"그런데 나는 배 없이 어떻게 살 것이요? 한시도 못 살어라우, 배 없이는 죽어도……."

양산댁의 눈에 물이 괴고 있었다. 석주는 양산댁의 저고리 앞섶을 움켜쥔 채 바닷물이 흘러들어 쓰린 눈알을 껌벅거렸다. 여우 같은 양산댁이 또 자기를 꾀고 있다 싶었다.

양산댁을 물 속에 처넣어 주어야 한다고 생각했다. 그러면서도 그는 멍청히 양산댁이 바라보는 먼 바다의 한 점을 바라보고만 있었다. 먼 바다에는 한가로운 잔물결의 이랑들이 햇빛을 받아 금빛 고기비늘처럼 반짝거리고, 그 반짝거림 속에 오징어잡이배들이 장난감처럼 조그맣게 보였다.

한 I
—— 어머니

1

미역 장사를 해야 되겠다고 이를 악문 채, 왼팔과 오른손에 든 지팡이를 부지런히 내저으며 윗마을로 들어서는 늙은 어머니를, 비루먹은 황소 등어리의 털 빠진 살갗처럼 희끗희끗 쌓인 앞산의 눈을 쓸어 검은 들판을 건너온 찬 바람이, 마을 앞 사장의 늙은 팽나무 가지를 쌩 스치고, 흰 가는 베 치맛자락과 반백의 머리칼을 쥐어뜯을 듯이 싸고 돌았을 때, 쿨룩하고 기침을 하기 시작했는데, 그게 시작되자, 차분히 쪼그리고 앉아 윗몸을 움츠리며 연거푸 쿨룩쿠울룩을 터뜨려 놓았다.

점차 자지러진 쿨룩쿠울룩 소리를 계속 흘려 놓더니, 배창자가 오그라져 들어가는 듯 그걸 끌어안고 한참 동안 숨이 끊어질 때 내는 '골고올' 소리만 내다가, 자꾸 헛돌던 치차가 무언가 잘못되어 드록제 톱니에 걸리듯 '으, 으으음' 앓는 소리를 하고, 마른 침을 뱉으며 일어서는, 활개만 부지런히 내저으면서 매듭이 촘촘 박힌 지팡이를 앞으로 앞으로 내어 짚을 뿐으로, 몸은 별로 나아가는 것 같지도 않게 윗마을로 향하고 있었다. 그런 늙은 이미니가 그렇게도 억척스럽게 미역 장사를 하자는 데에는 꼭 그럴 만한 이유가 있었다.

이 겨울 널빤지 위에서 올골골 떨고 있는 막동이, 원 세상에, 소같이 큰 몸뚱이에 눈알이 꼭 소눈깔같이 크다는 것, 그것이 죄라면 죄일 뿐으로 그 이상 유순할 수가 없는 그놈이 풀려 나올 때까지는 면회를 다녀야겠다는 것이었고, 그러는 데 필요한 여비를 마련하여야 하겠다는 것이었다.

물론, 그런 정도의 노비를 마련해 줄 만한 큰 자식들이 있기야 있었지만, 면회 그것도 한 번 두 번이지, 이 한 해 들어 벌써 여남은 번을 줄곧 다니고 나니, 이젠 '면'자만 들먹여도 큰아들 일현이는 눈살을 으등카리같이 싸짚어지고,

"그놈으반디 그만저만 댕기씨오, 그라다가 길바닥에서나 죽으면 어짜실라우."

하면서 획 돌아앉아 곰방대에 써레기나 쑤셔 넣곤 하였고, 며느리란 년은 궁상스럽게 축 처진 볼을 흐물거리며 이쪽의 늙은 마음을 위로해 준답시고,

"아제도 아제제마는 어머니가 살아사 안쓰겠소?"

할 뿐, 노비를 주는 것은 고사하고, 그것 마련할 걱정 같은 것을 손톱만큼 내비칠 엄두마저도 내지 않는 것이니 어이할 것인가. 개잡놈 같으니라고, 주둥이에 퍼넣을 술 한잔만 아끼고, 노름판엘 한 번만 안 가면 그만한 돈은 마련해 줄 수 있을 것 아닌가.

그렇다고는 한다 하여도, 어지간하면 또다시 졸라 보기라도 하련만, 한 달 전 어느 날이던가, 면회를 갔다가, 아침부터 세 끼를 조르르 굶은 채 뱃가죽이 등가죽에 붙어 들어오는 어미를 보고, 또 어디서 한잔을 걸치고 노름판에서 몇 천 원을 때려 엎었는지, 괜스레 분풀이를 하느라고 그러는 것이 틀림없을 그런 태도로

"막둥이만 자식이고 나는 자식 앵이요, 앵여? 나도 묵고 살기 탁탁한디, 먼놈의 민회만 댕긴다고 싸댕기요, 그르케?"

하고 악다구니를 쓰던 것을 생각하면, 그놈 앞에서 혀를 물고, 돌로 된 장승님이 넘어지는 것같이 죽는 한이 있더라도 다시 그런 말 빼지 않겠다고 이미 작정을 한 터였다.

늙은 어머니는 허위허위 지팡이를 옮기고 활개를 저으면서 윗동네로 가고 있었는데, 그것은 작은아들 이현이한테 미역 장사할 밑천을 말해볼 셈으로였다.

"빙한 놈, 급살빙할 놈."

늙은 어머니는 큰아들 일현을 향해 입에 못 담을 욕을 뇌까리다가 '아야 나잔 봐라' 했다. 그 큰놈도 갯논 다섯 마지기 묵갈림으로 붙여 번다고 벌어 보았자, 겨우 쌀 다섯 가마니 처지는 것이 고작일 것이라, 어느 누구한테 비할 데 없도록 어렵고 갑갑할 것이라는 생각이 들어서였다. 어머니는 금방 혀를 깨물어 뜯으며 큰아들 일현을 욕했다. 아무리 죽겠네, 갑갑하네 해싼다 하여도, 콩밥 먹으며 널빤지 위에서 이 한겨울을 동태가 되는 신세보다 더할 것이랴 싶은 생각이 가슴을 눌렀다.

"독한 놈, 독새보다 더 모진 놈."

2

큰아들에게 입에 못 담을 욕을 하며 작은아들의 집으로 가기는 가는 것이었지만, 역시 뾰족하게 내밀 수가 없을 수밖에 없는 것은, 작은아들 이현이 빠듯이 저나 먹고 살 수 있을 정도로 가난한 칙간 목수에 지나지 않는데다가, 그나마 겨울철이라 어디서 일자리 하나가 나지 않기 때문에, 부순방에 배 깔고 엎드려, 일 생겨지는 봄철의 해 길어지는 때를 기다리고만 있을 것이기에였다.

"와마, 이 바람 속에 먼 일이라요, 어마니?"

툇돌로 내려서서, 늙은 어머니의 북어 껍질 같은 손을 잡아 방으로 끌어들이고, 가르릉거리는 어머니의 해숫기 걱정부터 해 드리는 것이지만, 그 어머니는 자기의 외롭고 슬프고 원통함을 울음으로 터뜨려 놓기부터 하는 것이었다.

"너는 따뜻한 부순방에 자빠졌음스로, 그도 추와서 요때기를 덮고 있냐아?"

늙은 어머니가 이렇게 서두를 빼고, 북어 껍데기 같은 살가죽이 멀겋게 퍼지도록 주먹을 긁어쥐어 앙가슴을 깡 찍으며

"새끼새끼 우리여 새끼는, 이 엄동설한에도 얼음장 같은 판자때기 바닥에서 꽁꽁 얼어갖고, 온 살이 푸릿푸릿하게 붓었드라. 참말로, 눈에서 피가 빠쪄서 눈 뜨고는 못 보게 되었는디, 이 독새같이 모진 느그들은 민회 한번 가잣수 않고, 동상(동생) 어짜드냐고 한번 물어 보잣수도 않고……."

하고 목이 메어 말꼬리를 삼키니, 사철 가야, 허리에 두른 것이라고는 그것 하나뿐인, 무명베에 검정물을 들인 치맛자락을 가져다가 코를 풀면서 같이 울어 주는 며느리, 그 며느리의 젖무덤에 붙어 있던 세 살배기 손주놈은, 허옇게 눈알을 굴리며 할머니와 어머니를 번갈아 볼 뿐이고, 핫걸레 속에 묻힌 그 손주놈의 애비인 이현이는, 물 건너 손주 죽는 꼴을 건너다보고만 있는 바보스런 할아버지의 모습으로 괴춤에 두 손 찌른 채, 찬바람에 풀썩거리는 문풍지만 바라보는 것이었다.

"이 간도 씰개도 없는 새끼들아, 느그도 사람 껍데기를 둘러썼그덩 가서 봐라. 날이면 날마당 민회 댕김스로, 쇠고기다 닭괴기다 먹이는 꼴을 보면 느그가 언마나 독새같이 모진 새끼들인 중 아끄시다. 내가 멋할라고 그짓말 하끄시냐. 내가 요물스렁께 요물을 비리냐 어짜냐?"

하고 퍼붓던 늙은 어머니가, 차오른 설움을 참느라고 숨을 뽑아들이더

니,

　"나 암만 해러도 담배 한 대 피울란다. 글 안할란닥 했다가도 생각하면 그냥, 여그 여 움막 가슴 우그로 요러튼 것이 차오르먼 금방 죽을 것만 같단 말다."

하고 헉헉거리며 북어 껍데기 입혀 놓은 듯한 주먹을 앙가슴께에다 대어 보이더니, 봉창문턱 아래 놓인 곰방대를 집어 들었다. 아들 이현이 써레기 한무더기를 곰방대에 다져 불을 붙여 주자, 그것을 빨던 늙은 어머니는 기침을 쿨룩 시작하더니, 또 그 배창자를 긁어 쥐고 숨넘어가는 쿨룩 소리를 간드러지게 잇달아 늘어놓다가, 코를 풀던 며느리와 멍청히 앉아 있던 이현이 눈을 휘둥 굴리며 놀랄 때서야 '으, 으음' 하고 기침을 거두면서, 가래 끓는 소리를 섞어,

　"나 미역 장사 잔 해사 쓰겄다."

하고 말을 했는데, 그 말에 며느리와 아들은 약속이나 한 듯이 고개를 저으며, 그것만은 안 될 말씀이라고, 북어 껍질 입혀 놓은 듯한 어머니의 손을 잡았다. 그러나 아무리 늙었다고 하지만, 젊어서부터 대쪽 같기로 소문난 그 어머니가, 큰 자식들 있다고 해 보아야 어느 한 놈도 믿을 수 없으니, 막동이 자식 마룻바닥에서 동태 되지 않게 하기 위해서는 스스로 떨치고 나설 수밖에 없노라 하는 것을, 무슨 말 무슨 재간 있어 막아낼 수가 있겠는가.

　이현이 가진 재주라고는 그저, 농사짓고 살기 넌덜머리 나니 너나 뛰어난 기술 얻어 이 가난 면하고 살아 보라는, 수년 전 돌아가신 아버지의 등쌀에 못 이겨, 열두 살 나던 해부터 건넛마을의 김목수 양반을 따라다니노라 하나가 익힌, 나무 깎고 투딕투딕 못대가리 두들기는 재주밖에 없는데, 그나마 이 겨울 들어 못대가리 하나 두드릴 자리가 나지를 않는 다음이니, 무슨 돈 만져 볼 수 있어, 그 어머니 미역 장사 못하

게 하고, 그렇게도 발싸슴을 하는 면회를 보내 드릴 수 있노라고 장담을 할 수가 있기나 하겠는가 말이었다.

며느리로 말한다 하여도 이에서 더할 수 없는 것이, 작달막한 키에 얼굴 하나는 반반하고, 마음씨 또한 더 착할 수가 없다 하지만, 원래 부모 없이 자란데다가, 남의 집 '애기 업개' 나 부엌데기로만 커 시집이라고 온 터라, 길쌈을 한다거나, 품을 팔아 잔돈을 마련하여 살림 늘릴 시샘 한 톨 가진 바라고는 애초에 없고, 그저 서방이 벌어 오는 대로 지져 먹고 볶아 먹고, 이웃이나 형제간 좋자 하는 대로 푼푼이 나누어 먹을 줄만 알 뿐이며, 남편 끌어안고 잠자고 애낳는 일 외에, 무슨 장사라든지 읜데 출입을 하여 본 바 없으므로, 그 해숫기침이 이 겨울 들어 더 심해진 시어머니의 장삿길을 무슨 재주 부려 막을 수 없는 터였다.

늙은 어머니는 자기의 손을 꼭 잡은 채 커다란 눈에 눈물만 그렁그렁 담는 아들과, 자꾸 검정 무명베의 치맛자락을 들어올려 코를 훔치는 며느리의 더 말 못하는 마음을 모르는 바 아니어서, '에라, 내가 독살스럽고 모진년이구나. 시상에 즈그들이 나이 서른은 넘었닥 해도, 남맹이로 출중나게 배우기를 했는가, 천장만장 쌓아 준 노적가리를 보듬고 저저금(분가)을 났는가, 지질자질 봄부터 가을까지 못대갱이만 두드려서, 즈그들 목구녕 풀칠하기도 어려울 것인디, 그 우에 이 못된 창아지가 더 독한 소리를 하고 있으니, 내가 모진년이다. 내가 독새(독사)다' 하고 맘을 돌린 어머니가, 아무래도 쌀말 값이나 얻을 수 있을 데라고는, 비록 섬일지라도, 이 면 관내에서는 내리지 않게 산다 하는 집안으로 시집을 가서 사는 벼르더기 딸뿐이라고 생각하며 몸을 일으키려는데, 며느리는 핫걸레 같은 누더기에 싼 세 살배기 손주 녀석을 내려놓고 일어서며 진지나 잡숫고 볕이 두꺼워지면 가시라고 말이라도 하는 것이었는데, 아들 이현이는 그저 어머니가 봉창문 앞 재떨이 위에 걸쳐 두었던 곰방대를 뻐끔뻐끔 빨면서, 풀썩거리는 문풍지만 멀거니 바라보고 있을 뿐이었다.

　'이도 자석, 저도 자석인디, 내가 너무 독한 소리만 해 쌓서 속에 빙이나 나면 어짤꼬.'

하고 근심이 된 늙은 어머니는

　"복자가리 없어 콩밥을 묵는 놈은 묵드라도 느그들이나 푸덕푸덕 성해 갖고, 놈 보란 듯이 잘 살어라. 내 꺽정은 말고⋯⋯나사 느그들이 이르케 다 이녁 목구녕 구안하고 살 만한디 보았응께, 저 뒤뚱이 막동이만 나온데 보고 죽으면 고만잉께."

하며 검버섯이 낀 얼굴에 억지 웃음을 띠며, 아들 이현을 바라보며 문을 밀려고 하자, 아들 이현이 고개를 들고,

　"어무니, 조깐만 앉어 기시씨오."

하며 굼뜨게 몸을 일으키는 것이었다.

3

　이제 그만 낳아야겠다 했는데, 느닷없이 배가 불러와 가지고 낳은 딸, 이걸 언제 키워 여의고 죽을 것이냐고, 그냥 낳는 대로 엎어 버리거나, 아들딸 하나도 못낳는 불쌍한 사람들한테 키우라고 주어 버리거나 어쩌거나 하자는 의논을 영감하고 몇 번이나 하기는 했지만, 그게 막 나오면서부터 소리가 쨍 맑은데다 얼굴이 해맑으며, 눈이나 코가 하도 또록또록 맑고 오똑하여 그냥 노리개 삼아 키우자 하였고, 그래 이름을 벼르더기라고 지었던 딸, 그것이 그래도 얼굴 곱고, 이웃 어른들께 하는 말말이며 인사결이 곱다고 소문이 나, 이 늙은 어머니네 집안의 밭뙈기 하나도 없는 푼수로선 아무래도 분에 넘치는 집안으로 시집을 간 뒤로,

큰아들 일현이 '덕본 일 없다, 덕본 일 없다' 하고 억지 소리를 밥먹듯이 하곤 하지만, 철마다 쌀말씩을 얻어다 먹는 정도의 덕을 보아 오는 터인 딸집으로 가는 늙은 어머니의 발걸음은 가벼웠다. 작은아들 이현이, 이 마을에서는 유일하게 모두 제 논으로만 삼십여 마지기를 벌고 사는 구장네에게, 봄들어 생기는 일을 모두 해 주기로 하고 쌀 한 말 값을 얻어다 준 때문이었다.

이걸 가지고, 딸네집 건너에 있는 약산 섬에 가 미역 한 둥치를 받아 와서, 딸네 동네서 해태(김)로 바꾸어다 광주에 가 팔면, 왕복 여비가 되고도 아들에게 쇠고깃국을 한 번 끓여 먹일 수 있을 것이며, 잘만 남으면 다시 더 장사를 이어 해 나갈 수도 있으리라 싶었다. 그 어머니는 지팡이를 들지 않은 손에 국 끓일 냄비를 미역 쌀 보자기로 둘둘 말아 싸 들고 있었다.

검은 벼그루들이 점점이 박혀 있거나, 두둑 보리를 간 들판이 바둑판 모양으로 갈라져 있는 간척지의 농로를 밟아 가면서, 늙은 어머니는 후 우 한숨을 쉬는데, 쿨룩하고 기침이 나왔다. 곧 배창자를 긁어 쥐고 간드러진 쿨룩 소리를 연발하면서 눈앞이 아득해지는 걸 느끼고, 그 자리에 주저앉아 '골고올 소리만 내다가, 이윽고 '으, 으으음' 하면서 일어선 늙은 어머니는 막동이를 원망했다.

"지 같은 것이 멋이 잘났다고, 한 일 년만 은신한 셈 치고 살다가 들어오란께…… 죄만 둘러쓰고……."

기침 때문인지, 아들에 대한 그리움이나 가슴 아프도록 짠한 생각 때문인지, 스스로의 소갈머리 없음에 대한 회한 때문인지, 두 눈에 그렁그렁해지는 눈물을 소매끝으로 훔치면서, 부지런히 활갯짓을 하고 지팡이를 옮겨 짚었다. 이 날로 시오릿길이 훨씬 넘는 회진포구에까지를 가야 하는 것이었다. 실팍한 사람의 걸음으로는 한 시간 남짓이면 갈 길이이겠지만, 이 늙은 어머니의 걸음으로야 한나절은 더 잡아야 할 것이었으므로 서둘러 걸을 수밖에 없었다.

저수지의 차가운 수면을 스쳐 둑을 타넘은 매운 바람, 그 바람을 피해 둑 밑으로 내려서면서,

"아야, 아야, 이 새끼야."

하고 흥얼흥얼 콧노래를 부르는 그 늙은 어머니의 눈물 그렁그렁한 눈에는, 비록 묵갈림으로 벌던 농사라고는 하지만, 그래도 봄이면 그놈이 꺾어 피리를 만들어 불던 수양버들 가지같이 야들야들하고 흥청흥청하게 여문 나락짐을 짊어지고, 이 둑을 올라서던 그놈의 모습이 어른거렸다. 그 때, 부쳐 벌던 다섯 마지기 묵갈림 농사, 그 농삿일을 틈틈이 어슴 새벽으로 하고 품을 든 것으로만 해서도 막동이는 쌀 몇 말씩은 넉넉히 물어들이곤 하던 것이었는데, 이 어미 생각으로는 그 막동이의 피땀으로 물들이는 쌀 몇 말 그것만은 죽어도 솥에 삼아 먹어 없애지 않으리라 하여, 색갈이로 불리기도 하고, 송아지로 바꾸어 도짓소로 내어 주었다가 받아들이기도 하고 해서 그놈의 장가 밑천을 만들려고 하지 않은 바 아니었으나, 그게 그놈의 이런저런 뒷바라지로 하여 다 들어가 버린 게, 못내 가슴 아프고 원통하기만 하였다. 아니, 이제 와서 그 늙은 어머니의 가슴을 더 아프게 하는 것은, 그 막동이에게 외입을 나가라고 들쑤신 것이 다른 사람 아닌 자기라는 생각이었다.

"아야, 아야, 이놈의 소가지야."

이래 죽었건 저래 죽었건, 어쨌든지 한번 죽어 버린 아비 이야기를 아들들한테 하여 주는 것이 아니었는데, 이 어미의 조개껍질에 긁어 담아도 흰쪽 귀퉁이에도 못 찰 소갈머리가 그걸, 그도 울면서 터뜨려 놓았던 것이었다.

4

아비가 늑막염을 앓기 시작한 것은, 돌아가시기 전 해의 겨울부터였는데, 그걸 앓게 되도록 옆구리에 얼이 든 것은 그해 늦은 가을의 일이었다. 수확 때문이었다.

나락 이삭이 누렇게 익어 고개를 숙이면, 참봉네 마름은 묵사지를 넣어 집게로 집은 서류를 들고, 참봉네 소유로 된 논들을 찾아다니며 수확을 매기던 것이었다. 이삭에 맺힌 이슬에 날개 젖은 고추잠자리가 아직 푸드득거리지도 못하는 이른 아침, 앞 산마루에서 마을 어귀로 파르스름한 아침의 안개가 산기슭을 돌아 나갈 무렵부터 나온 마름은, 맨먼저 이 저수지 둑 아래서부터 수확을 매겨 가기 시작했는데, 그 때 부쳐 짓던 묵갈림 농사 다섯 마지기는 상토란 어림도 없고, 중토에서도 조금 아래로 묵는 논이므로, 많이 거둔다 해 보아야 마지기당 기껏 두 섬 반 정도밖엔 못 거둘 것을 석 섬 반으로 매기겠다고 나서던 것이었다. 말하자면, 마지기당 두 섬에 가까운 나락을 빼앗아 가겠다는 것인데, 이 논이 기껏 두 섬 반지기이니 일 년 내내 피나게 농사지은 대가로 남은 게 얼마란 말인가. 다섯 마지기 논에서 기껏 다섯 가마니가 남는데, 이걸 가지고 쪽박에 밤 주워 담은 것 같은 자식들하고 어떻게 먹고 살기나 하겠는가.

성질이 급하고 뚝심 세기로 이 근동에서는 이름난 아비는 눈앞이 아득해지는 것이었지만, 경위가 경위인지라, 석 섬 반은 너무하니 석 섬으로나 매겨 주면, 명년 한 해 더 잘 지어 보겠노라고 하였었는데, 그쪽에서 '자네한테 논 맡겨 놨다간, 수를 만히 못 받는 것은 그만두라고도, 논까지 버리겠네.' 하면서 딱 자르고 석 섬 반 매기는 게 그렇게도 억울

하면, 논을 아주 돌쇠네에게로 넘겨주겠다고 한 것이었기 때문에, 더 이 상 입을 떼지 못하고 말았던 것이었다.

한데, 기어이 일이 터지고 만 것은, 바로 이 논의 나락을 져 들이던 날 저녁 무렵이었다.

그 직위가 일개 면서기에 지나지 않기는 한다 해도, 당시 이 관산면 사무소 안에서는 일본놈 면장의 신임을 가장 두터이 받는다고 떵떵거리 던, 참봉네 아들 최 주사가 면사무소에 나갔다가 이 농로를 타고 돌아 오고 있었는데, 그를 이 저수지 둑에서 만난 이 편 아비가, 때마침 얼근 히 취해 있던 참이기도 했으려니와 어려서부터 고추자지 맞잡고 자란 사이이기 때문에 별 어려움 없이, 세상에 이렇게 억울할 수가 있느냐고, 이 나락을 한번 보라고, 이래 가지고 어떻게 석 섬 반 나락을 훑어 낼 수 있기나 하겠느냐고, 수확을 두 섬 반이나 석 섬으로 매기도록 해 주 면 살 것 같으니 그렇게 좀 마름한테 말해 달라고, 금년에는 자기가 농 사를 잘못 지어 이런 것일지도 모르니, 너그러이 보아 명년에 한 번 더 부지런히 지을 기회를 달라고, 매긴 것이 너무 과하다고 따지는 것을 고깝게 여겨 숫제 이 논을 돌쇠네로 넘겨주겠다고 으름장을 놓는 것은 너무하는 일이 아니냐고, 최 주사의 소매를 잡고 울면서 하소연을 한 것이었는데, 그게 바로 화근이었다.

어디서 농주라도 한잔 얻어 걸쳤는지, 이 편 아비와 마찬가지로 얼근 해 있던 참봉네 아들은, 소같이 덩치가 큰 막동이네 아버지의 두 눈에 달린 눈물 방울을 보다가 한동안 너털너털 웃더니,

"아니, 그래 이것이 석 섬 반 나올 나락이 못 된다 그 말인가?"
하면서 지게 위의 나락 모가지를 손에 들고 흔들었다.

"내가 어째서 거짓말하겠는가? 코 째기 내기를 하세. 우리 마당에다 나락 다 져 들여 놨응께 최 주사 보는 앞에서 쪽 훑어 갖고 가마니에

다 착 한 번 담아 보면 봐도 석 섬 이상은 못 나오네. 만약, 석 섬 반은 그만두고 석 섬만 나온닥 하면, 지푸락 하나도 달라는 소리 않고 옴씨래기 다 져다 드림세."

그러자, 참봉 아들이 날카롭게 눈을 빛내고 이 편 아비를 쏘아보며,

"작년엔 얼마 매겼는디?"

하고 물었다.

"나쁘게 생각은 말으시소마는, 사실 말해서, 이 논이 원래 두 섬 반 이상은 내묵기 에러운 논이시. 작년에도 그랬드란가? 마름영감님 말씀이 '멩년에 두 섬 반으로 잡아 줄 텐께, 금년에는 눈 딱 감고 석 섬 반 잡는 대로 가만 있어 주소.' 하데. '최 주사하고 친한 사이인 자네가 투정을 한닥 해서 되겠는가?' 함스로 말이시. 내 말이 거짓말인 성부르먼 마름영감한테 물어 보시소. 사실 말해서, 이 논 나락에다가 석 섬 반 매긴 것은 너무한 일이시. 이 나락을 이만큼 내묵는 것도, 내가 참 심이라도 시어서, 저 왕골 고랑에서 복새(왕모래)도 져다 넣고 했기 땀시 이러기라도 한 것이지. 그른 속이나 알아사 쓰꺼시네."

죽어라고 힘들여 말했는데, 참봉네 아들은 시원찮디 시원찮게, 그러나 점잖을 빼며,

"마름한티나 가서 한 번 더 말해 보소."

한 것이었다. 그러자, 아비가 한 번 더 눌어붙은 것이었다.

"최 주사, 한 번만 널리 돌봐 주시소. 금년 한 해만. 자네말고 누구한테 사정을 하겠는가. 주렁주렁한 새끼들하고 굶어 죽지 않은 것이 모두 최 주사 자네 덕택인 중을 내가 어째서 모를 것인가?"

그러자 최 주사가, 한번 말을 했으면 그대로 하는 게 아니고, 왜 이렇게 빌고 야단이냐는 투로, 퉁방울 같은 눈을 까뒤집고 이 편 아비를 쏘아보다가 몸을 획 돌렸는데, 그 때 나락 짐을 지고 있던 이 편 아비가

얼른 또 빌붙은 것이 탈이었다.

"최 주사."

하고 그의 양복 자락을 잡는다는 것이 나락짐을 짊어진 채로 최 주사와 함께 둑 아래로 굴러 떨어져 버린 것이었는데, 지게 통발이 최 주사의 성문다리를 호되게 짓눌러 버렸던 것이었다. 그러자, 둑 아래서 나락짐을 젖히고 간신히 일어선 최 주사가 한동안, '아이구, 나 죽네' 하고 엄살을 떨다가 발끈해 가지고,

"이 새끼가 누구한테 어덕 씨름을 할라고 이란다냐?"

하면서 구둣발로 아버지의 옆구리를 내질러 차 버린 것이었다.

그 나락을 다 훑어 담지 못한 채, 열이 오르고 옆구리가 아프다면서 얼굴을 찡그리고 하더니, 그 겨울부터는 완전히 방 안에 누워 버렸기 때문에, 한약을 지어다 먹이고 온습부도 하고 하지 않은 게 아니었지만, 별효험을 보지 못한 채로 해를 넘기면서부터는 배가 붓고 점차 온몸이 붓더니, 위아래로 먹피를 쏟으면서 죽어 간 것이었다.

이 이야기를, 거짓말 손톱만큼도 보태지 않고, 복수를 해 달라는 뜻으로 한 것은 참말로 아니었다. 큰놈 일현이 웬만하면 술만 퍼 마시고 노름판에 기어들고 하면서도, 집에 들어서서 툭하면 이 어미한테 대들기도 하려니와, 그러다가 제 마누라 머리채 끌고 메어치는 걸 밥먹듯 하며, 그걸 말리기라도 하면 마구 주먹다짐을 해 버리는 게 예사여서, 네 놈의 아비가 어째서 펄펄 뛰는 젊은 나이에 죽었는가 보아라, 이 이야기를 듣고도 속 못 차리면 병신이지 사람이 아니다, 세상 돌아가는 일 알기를 똑똑히 알고 살아라 하는 뜻으로 한번인가 울면서 말을 해 준 것이었는데, 이현이는 그저 이만 갈 뿐으로 어찌지를 못하더니, 큰이들 일현이와 막둥이가 종내 일을 저지르고 말았던 것이었다.

그게 그놈 스물한 살 나던 해의 일이었다.

5

해방을 맞기 몇 해 전이던가, 소 뜯어 먹을 풀마저 불질러 태우면 꼭 알맞게 말라 버린 흉년이 이 근동을 휩쓸고 간 이듬해 봄, 어디 한군데 서 품 한나절 들어 삯을 받아 죽이라도 끓여 먹을 수 없어, 스무 살 넘은 아들들을 질펀히 방바닥에 엎어놓은 이 어미가, 저렇게 굶겨 죽이게 될 줄 알았으면, 징용에 보내겠단다고 순사들이 마름영감을 앞세우고 잡으러 나올 때마다 귀를 쫑그리고 지켰다가 피신을 하게 하지를 않고, 그런 데라도 가서 넉넉히는 못 먹는다 치더라도 때나 거르지 않고 얻어 먹을 수 있게 내버려 둘 것을 그랬다, 하며 쑥이라도 캐어 오겠다 하고 집을 나섰다가, 참봉네 마름이 관리하는 못자릿논 옆에 심은 자운영 한 줌을 뜯은 것이 화근이었다.

그것은 정말 사소한 일이었다. 처음엔 물론 쑥만 캐겠단다고 논둑으로 들어섰던 것이었으나, 자운영이 하도 부드럽겠기에 그걸 한 줌 캐어 담았던 것이었는데, 달려온 마름네 머슴놈이 바구니를 빼앗아 논바닥에 놓고 납작하게 밟아서 찢어 버린 것이었다. 그뿐 이 어미 몸에 손찌검 한 번 하지 않은 것을 보면, 밤이면 몰래 마을 사람들이 자운영을 다 캐어가 버리기 때문에 그걸 지키지 못한다고 노상 마름영감한테 꾸중을 듣곤 하여, 화가 끓을대로 끓어 있는 그 마름네 머슴들 나름으로는 이 어미의 세 아들들을 생각하고 그렇게 심히 군 것은 아니던 것이었다.

그런데 이 데퉁맞고 못난 소갈머리가 그만 대성 통곡을 하면서 집으로 돌아아, 방바닥에 엎드려 있는 두 아들의 가슴에 불을 질러 놓고 만 것이었다.

자세히 일의 전후를 따져 묻지도 않고 먼저 뛰쳐나간 것은 큰아들 일

현이었고, 다음, 자초지종 캐어묻고 이를 물고 나간 것은 막동이였다. 얼마 후 일현이

"동네방네 사람들아, 다들 잔 보소이, 풀씨(자운영) 한 주먹 뜯었다고 밟아뿐 이 바구리 잔 보소오."

이렇게 외친 것을 듣고, 저 사람들이 오늘 무슨 일을 내려고 저런다냐 하며 근심스런 얼굴을 하고 버르더기 딸이 달려나갔다. 둘째 이현은 품삯이라 해 보아야 한나절 일해 준 데에, 그도 보리가을 한 뒤에야 보리 한 되를 받기로 하고, 산 너머 마을에 똥장군을 수선해 주러 가고 없었던 참이었다.

이 무렵, 마름영감의 손가락질 하나로 아들을 징병이나 징용에 보낸 사람들이 한둘이 아닌데다, 그 자운영 밭을 얼씬거리다가 마름놈의 머슴들한테 머리채를 잡힌 아낙네가 또한 셀 수 없었으며, 마름이나 참봉 집에 색갈이를 얻으러 갔다가, 이때껏 가져다 먹은 것만 갚자 해도 이해 묵갈림 농사지은 것을 모두 떨어 바쳐야 할 판이 이미 되어 있기 때문에, 한 마디로 싹 거절을 당하고 나온 사람이 대부분인 이 마을 사람들은, 싯누렇게 뜬 얼굴을 한 채 '불이야!' 하고 외치는 듯한 큰아들 일현의 부르짖음을 따라 골목을 나서고들 있었다. 마을 사람들이 허옇게 뒤따르는 것을 안 일현은 곧장 마름집의 대문을 걷어차고 안으로 들어가면서,

"동냥은 못 주드라도 바가지는 안 깨사 쓸 것 아니냐, 이 살쾡이 새끼들아."

하고 외쳤다. 그러나 일현은 마당 안으로 들어서지도 못하고, 사랑채에서 달려나온 두 머슴들에게 팔을 붙들리기 무섭게 대문 밖으로 끌리어 나왔고, 그들이 휘둘러 엎어 버리는 대로 나가꺼꾸러질 수밖에 없었는데, 그걸 본 막동이가 달려들어 그 머슴들을 하나씩 둘러엎고 후려쳐

버렸다. 씨름판이 열릴 때마다 송아지를 끌고 오곤 하던 막동이라, 이 봄 들어 굶기를 밥 먹듯이 했다 하지만, 성난 호랑이가 달려드는 개들을 각각 앞발 하나씩으로 쳐서 엎어 버리는 것처럼 간단히 처리해 버린 것이었다. 그러자 하얗게 모인 마을 사람들 가운데서 누군가가,

"마름놈 죽여라."

하고 소리쳤고, 막동이는 대문을 박차고 뛰어 들어갔다. 마름영감은 육십이 가까운 나이인데도 벌써 한 길이 넘는 담장을 뛰어 도망을 가 버리고 없었기 때문에, 막동이는 그길로 마을 옆에 있는 마름네 못자릿논으로 달려가 분풀이를 하던 것이었다. 자운영 밭을 쿵쿵 밟고 뒹굴면서 쥐어뜯었는데, 그를 뒤따라온 마을 사람들이 우우 몰려들어 삽시간에 자운영을 모두 짓뭉개 버렸다. 더이상 밟아 뭉갤 자운영의 푸른 잎사귀 하나도 없게 되자, 마을 사람들 가운데서 누군가가

"이 도둑놈 곳간을 털어다가, 우리 밥이라도 한 그럭씩 해 묵어 보세."

이랬는데, 마을 사람들은 모두 마름집으로 우우 몰려가, 곳간 문을 열어젖히고 거기 쌓여 있는 나락이며 보리며를 퍼내 가기 시작했다.

"워메 워메 어째사 쓰꼬, 왜들 이라요, 왜들 이래애."

이 어미 혼겁을 한 채 마을 사람들을 떠밀어 내면서 말렸지만, 그들은 굶주린 이리떼처럼 곳간을 파고들기 때문에, 어떻게 한 여자의 힘으로는 막아낼 수 없는 일이었다.

이윽고, 그 곳간을 다 털어낸 마을 사람들이 참봉네 곳간으로 가자고 나서던 무렵, 방망이를 든 순사들을 앞세운 마름영감이 들어서고 있었다.

그러자, 눈치가 싼 청년들은 담장을 넘어 도망을 쳤는데, 그 사이에 막동이도 끼여 있다는 것을 알고 우선 이 어미는 안도의 숨을 쉴 수 있

었다. 그러나 미처 도망치지 못한 청년들 대여섯과, 나락이나 보리를 퍼서 이고 지고 나오던 아낙네와 영감네들 몇 사람이 함께 끌리어간 것이 자꾸 마음에 걸리던 것이었다. 이 일이 어떻게 터졌는가를 따지다 보면 자기 아들 막동이가 걸려들게 마련일 것이기 때문이었다.

이 날, 어디로 피신했다가 들어온 것인지, 옷자락에 찬 이슬을 묻힌 채 한밤중에 가까워서 들어온 막동이가, 자기 대신 잡혀간 청년들을 끌어내기 위해 주재소로 가겠다고 했을 때, 이 어미는 혀가 껄껄하도록 당분간 왼데 나갔다가 이 일이 잠잠해지거든 들어오는 것이 좋을 게 아니냐고 얼러댔었다.

"다 쓸데없어야, 내가 우선 살고 봐사제, 니가 언제 마름네 곳간에서 나락 퍼 가라고 했디야? 즈그들이 괜히, 니가 쫓아 들어가는 것을 뒤따라 들어가 갖고 그랬제?"

그래도 자꾸 고개를 저으며, 혼자 몸을 멀리 피해 버린다는 것은 체면이 아니라고 버티던 막동이였지만, 이 어미가 울면서,

"니가 나 죽은 디 볼라고 그라냐? 나는 느그들 푸덕푸덕 성한 디만 보고 사는 것이 낙인디, 니가 감악소(감옥)에 가먼 나는 어뜨게 살 것이냐?"

하고 하소연하는 데에는 그놈도 더 어쩌지 못하고, 노비 몇 닢만 구해다 달라고 하였다. 이 어미가 이 날 새벽으로 이리 뛰고 저리 뛰면서, 쌀 다섯 되 값을 간신히 구해다 잡혀 주자, 이젠 다시 고향에 돌아오지 않겠다면서 집을 떴던 것이었다.

"그른 소리 하지 말고 부디 몸조심해라이, 어디 가서 품이나 딞스로, 그저 죽은 대끼 있다가 맹년에나 들어오니라. 먼 일이 있드라도 혹시 나서지 말고, 한사코 죽은 대끼……에미 꺽정은 하지 말고."

먼동이 번히 터 오던 때, 이 어미의 손을 꼭 쥐어 주고 장터를 향히눈

막동이의 모습이 지금도 눈에 선하였고, 그로부터 한 해가 아직 다하지 않은 겨울철에 광주의 근교에 있는 한 농장에서 머슴살이를 한다는 내용의 편지가 왔을 때, 그 편지를 들고 동네방네를 춤추며 돌아다닌 기억이 새로운 어미였다. 그 편지 속에는, 주인이 새로 만들고 있는 과수원이 잘 가꾸어지기만 하면 사오 년 내로 자기가 관리인이 될 것 같기도 하니, 그 때 어머니를 모셔 가겠다는 말이 씌어 있었던 것이었다. 마름 머슴들이 병원에서 치료를 받은 비용이라든지, 마름네 곳간을 털어다 먹어 버린 것을 온 마을 사람들이 공동으로 부담해 물어 준 것이라든지로 하여, 막동이가 벌어 놓았던 쌀 두 가마니가 모두 날아갔지만, 그까짓 것이 대수로운 것은 아니었다. 그까짓 쌀 두 가마니로 아들을 살 수 있을 것인가 하는 생각에서였다. 막동이가 과수원 관리인만 된다면 그 이상의 것도 생겨지리라 해서였다. 그것도 그것이지만, 그 날 일로 해서 파출소로 끌려간 젊은 사람들이 모두 징용을 갔다는 걸 전해들은 어머니는 막동이를 밤에 멀리 보낸 것이 천만 번도 잘했다 싶던 것이었다.

하였는데, 해방이 된 이듬해, 그 이듬해 가을, 그 막동이한테서 느닷없는 편지가 온 것이었다. 아니, 그것은 막동이가 보낸 것이 아니라, 형무소장이 보내온 것이었는데, 거기에는, 귀 자제 막동이가 본 ××형무소에서 탈없이 복역 중이라는 내용이었다. 청천의 벽력도 유분수지, 대관절 덩치가 크고 힘이 세다는 것이 죄라면 죄일까, 세상에 그렇게도 유순하고 곰살가울 수가 없는 그 막동이한테 무슨 죄가 있다고 형무소에 가둬 두고 있다는 말인가.

발만 동동 구르고 있을 수만은 없어, 도짓소 내어 준 것을 팔아, 그래도 제깐에는 세상 물정에 귀가 뚫렸다 하는 작은아들 이현이를 광주로 보냈던 것이었는데, 거길 갔다 온 그놈의 말이, 국회의원에 입후보한 독

립투사였던 사람을 암살한 범인이기 때문에 징역을 산다더라고 하던 것이었다. 한데, 또 그렇게도 답답할 수가 없던 것은, 언제까지 산다더냐 해도, 언제 나오게 될 것이라더냐 하여도, 이현이 대꾸를 하지 않고 고개를 푹 숙이고 있기만 하던 것이었다.

"먼 일이란가, 먼 일이여?"

그게 무슨 벼락맞을 소리냐고, 우리 막동이는 그럴 아이가 아니라고, 그건 옆의 사람이 지어 붙여 뒤집어씌운 것일 거라고 펄펄 뛰어 보는 것도 마냥 쓸데없는 일이었고, 이 때부터, 열흘 걸러 한 번씩 허위허위 보성으로 달려가서 기차를 타고, 광주 땅에 내리기가 바쁘게 동명동 형무소 면회 창구에 면회 신청을 하여, 두 손을 묶이어 나오는 푸르스름한 죄수복의 막동이, 그놈의 허옇고 부석부석한 얼굴을 보면서, 쓰라린 마음을 달래곤 했었다. 그러면서, 그놈에게 늙은 어머니는 누가 너에게 그런 죄를 씌웠느냐고 울며불며 물어보고 했던 것이었지만, 그놈은 멀거니 이 어미의 얼굴을 건너다볼 뿐, 입을 꼭 다물고만 있곤 할 뿐이던 것이었다. 그놈의 그런 태도를 미루어, 그놈의 심중에는 어느 누구한테도 말하지 못할 어떤 사정인가가 있기는 있는 모양이지만, 그걸 무슨 말로 어떻게 해서 비쳐 주게 할 것인지 알 수가 없는 것이었다.

늙은 어머니는, 그 막동이를 그렇게 만들어 놓은 게 모두 소갈머리 없는 자기 때문이라 하며, 혀를 깨물고 칵 죽어야 한다고 생각해 보지 않은 게 아니었지만, 마룻장 위에서 울골골 떨고 있는 그 막동이를 그대로 둔 채 눈을 감을 수란 도저히 없는 일이므로, 일일마다가 마냥 답답하고 기막히다 할지라도, 이미 그놈한테 내리덮인 죄, 그 죄를 어떻게 벗겨 줄 길이란 없는 일이니, 이젠 그놈이 벗어 나오는 날까지, 이렇게 면회를 가면 얼굴이라도 보도록 해 주는 것만도 고맙게 여기면서, 부지런히 면회를 다니는 길밖에 없다 했다.

한데, 그 면회나 자주 다닐 수 있었으면 하련마는, 그놈이 집에 있을 때 품들어 받아들인 쌀 판 돈으로 마련한 송아지 도짓소로 준 것, 그것을 팔아 젖혀 면회를 다니며 써 버린 뒤로는, 왔다갔다 할 차비 이천 원에 먹고 잘 돈 오백 원, 면회하면서 그놈에게 먹고 마시게 할 돈 천 원…… 하여 모두 삼천 오백 원 돈, 그걸 마련 못해 주겠다고 앙탈을 하는 큰아들들의 소행들이 못내 섭섭하고 노여워, 늙은 어머니는 그 저수지 둑 밑에 주저앉아 다리를 쭉 뻗고 통곡이라도 해 버렸으면 시원할 것 같은 심사를 억누르고, 부지런히 활갯짓을 하면서 오른손에 든 지팡이를 옮겨 놓는 것이었다.

그 때, 복받치는 격정이 욱 목구멍을 막아, 쿨룩 기침을 했고, 그 사이 들이마신 찬바람 때문에 그 기침은 연거푸 터져 나오기 시작하여, 늙은 어머니는 또 쪼그려앉아, 오그라져 들어가는 뱃가죽을 긁어 쥐고, 숨이 발딱 넘어가는 골고올 소리를 내다가, 이건 분명히 헛돌던 치차가 잘못되어 달칵 지르륵 하고 걸려 돌아가는 것처럼 '으음' 하고 목을 가다듬으며 일어서는 것이었다.

6

이날 저녁, 그 늙은 어머니가 회진서 배를 타고 금당도로 건너가, 미역 다섯 다발을 받아 이고, 덕도 딸네 집으로 온 것은 이튿날 겨울의 짧은 해가 하눌재 마루에 걸릴 무렵이었다.

"어메, 어메, 이 바람 속에 울어메가 먼 일이란가?"

둥둥히게 부른 배 때문에 굼뜬 몸을 이끌듯이 하고, 부엌에서 밥솥에 불을 지펴 놓고, 김 건장으로 마른 김을 가지러 달려가다가 딸이 들어서는 어머니를 맞는 것이었다. 상놈의 집구석에서 며느리를 얻었다고 며느리 사돈네 보기를 거지 보듯 하는 시어머니 시아버지 아래서 살면서도, 어머니가 언제 어느 때 어떠한 행색을 하고 들어서든지, 이렇게 우르르 달려나와 뜨겁게 맞고 하던 것이었는데, 이 근년의 겨울 들면서는 어머니는 해숫기침이 숫제 피가 터져 넘어올 정도로 심하다는 것을 잘 아는 터에, 이 날따라 살갗을 깎아 댈 듯이 부는 찬바람 속을 뚫고 오는 어머니였으니, 그 딸의 심사가 어떠하였을 것인가. 딸은 어머니 머리 위의 미역 다발을 내려 한 옆구리에 끼고, 다른 한 팔로 어머니를 얼싸안으며 소리 안 나게 목울음을 울기까지 하는 것이었다.

늙은 어머니는 얼른, 이 딸아이가 달떡같이 살빛 고운 고추장이를 아무 탈 없이 펑 낳아야 할 것이란 생각을 하면서, 두 손바닥으로 딸의 볼을 붙안고 침침하게 흐린 눈으로 낯빛을 살피었다. 바닷바람을 쐬었기 때문이라고는 하겠지만, 그렇게도 박꽃같이 희던 살빛이 거뭇거뭇하게 검어진 딸의 얼굴, 콧등과 광대뼈 부근에 몇 점 기미까지 끼어 있고, 눈이 퀭하게 커져 있으며, 백정보고 떼라고 해도 살점 하나 뗄 수 없도록 깡 말라 있는 그 딸의 얼굴을 보면서,

"아니, 어째 이렇게 얼굴이 못돼 간다냐?"

라고 침침한 눈에 물을 담자, 딸이 억지로 웃고,

"내 얼굴이 어째서라우? 밥 잘 묵고 잘 산디."

감옥살이하는 오빠에 비하면 자기 하는 고생이야 정승살이보다 낫지 않겠느냐고 하며, 어머니를 안으로 모셔들였다.

거짓말 손톱만큼도 안 보탠 말로, 딸이라고 여의면서, 백모래밭에 혀를 박고 죽는 한이 있더라도 그 딸네에게서 덕을 보아 보겠단다고 한 것은 아니었지만, 이 한겨울을 마룻장 위에서 올골골 떨고 있는 막동이를 생각한답시고 이렇게 거지 행색을 한 채 시집살이를 하는 딸네집으로 찾아들 수밖에 없는 늙은 어머니의 마음이, 딸의 얼굴을 보는 재미

말고 재미가 있으면 얼마나 있어서 선뜻 안으로 들어설 수 있으랴.

그런 어머니 마음을 딸은 훤히 뚫고 있었으며, 늙은 어머니는 어머니대로, 자기의 살이라도 베어 줄 수 있기만 하다면 베어 주고 싶어하는 딸아이의 뜨거운 마음을, 그 딸의 눈에 그렁그렁 괴고 있는 눈물과 하르르 떨고 있는 입술을 잘강 깨무는 흰 이빨 하나만을 보아도 꿰뚫어 짐작할 수 있는 터인지라, 다른 말들은 서로가 할 것도 말 것도 없는 것이었다. 다만, 어머니 쪽에서 저희들 서방각시가 오순도순 금슬좋게 살면 되는 것이지, 그 외에 더 무엇을 바라랴 하면서도, 점점 못 되어 가는 딸의 얼굴을 대하고는, 왜 하필이면, 이런 겨울 들어 얼음물에 손집어 넣어 물김을 건져 내어야만 먹고 사는 해변 지방으로 여의었던가, 하는 후회를 씹지 않을 수가 없는 심사가 되어져,

"몸은 무겁고 한디, 어뜨께 해우하고 사냐?"
하고 오열하면서 딸이 이끄는 대로 안으로 들어갔다.

딸이, 행실은 분명하여, 자기의 늙은 어머니를 먼저 자기의 시부모가 있는 안방으로 못 가는 것이었는데, 늙은 어머니는 자기의 목구멍에서 언제 터져 나와서 사돈네를 당황하게 만들지 모르는 기침이 걱정되었다.

제발 사돈 내외 앞에서만은 기침이 나와 주지 않기를 용천하시는 하나님께 빌고, 딸이

"아부니, 친정 어무니가 오셨구만이라우."
하는 말을 따라 방으로 들어가 인사를 차렸다.

원래, 여자 걸음이란, 한 번만 옮겨도 술과 떡이 따라야 하는 어려운 걸음이라는 것을 모르는 바 아니고, 길에서 맞부딪쳐도 딸 둔 사돈 쪽에서 맡아 놓고 길 밑으로 내려서야 한다는 것 또한 잘 알고 있는 터인데도 이렇게 빈손으로 온 것이 어찌 낯 뜨겁지 않을까마는, 이 한겨울

널빤지 위에서 얼굴이 푸릇푸릇 얼부픈 아들을 생각하면, 한 닢 반 닢이 아깝고 새로운 처지인데 무슨 인사치레는 인사치레냐 하며 눈 딱 감고 마주 앉아 있었다.

한데, 발장에 붙은 마른 김을 떼던 바깥 사돈 어른은 김 떼던 걸 밀어 두고, 긴 담뱃대 끝에 담배를 쑤셔 다져 화로 속에 넣고 뻐끔뻐끔 빨면서, 찬 날씨에 오시느라고 고생 많았다는 식의 인사말이라도 하는 것이었지만, 좁장한 얼굴에 입술이 뾰족하고 언제 보아도 싸늘한 인상인 안사돈은 발장에서 김 떼는 일을 계속하며

"막둥이 사둔이 지녁(징역)을 산담스롱이라우?"

하고 나서는 것이었다.

"거 춘디 참······."

바깥 사돈 어른이 담배를 빨며 말하자, 안사돈은 또

"대관절 먼 일로 그랬다우?"

하고 꼬치꼬치 캐어묻는 게, 타고난 말투가 그러한지 모르긴 해도 뾰족뾰족 가시가 돋친 듯 얼굴에 따갑게 느껴지기만 하여,

"글씨라우."

하고 한숨을 내뿜고, 바깥 사돈 어른이 밀쳐 둔 김 붙은 발장을 당겨다 김을 한 장 막 떼려 하는데, 사돈 어른의 덜 탄 담배 연기 때문인지 콜룩 하고 기침이 터져 나왔던 것이었다.

늙은 어머니는 재빨리 밖으로 나가 짚신을 끄는 둥 마는 둥 변소로 달려가서, 쪼그려 앉아 뱃가죽을 긁어 쥐고 기침을 하여 대다가 간신히 '으음' 목을 가다듬고 일어서는데, 건장에서 마른 김 붙은 발장을 한 아름 안고 내려오다 그걸 본 딸이 발장을 마루에 팽개치고 변소로 달려와, 북어 껍데기를 입혀 놓은 듯한 어머니의 손을 잡고, 무슨 약이라도 잡수셔야지, 그냥 이대로 다니다가 어쩌려고 이러느냐 하면서 발을 굴

렀다. 늙은 어머니는, 작은아들 이현이 약을 지어다 달여 주는 것을 이 때까지 먹다가 나왔다는 거짓말을 하며 딸의 방으로 들어갔다.

이날 밤, 머슴을 데리고 바다에 나가 김을 따 가지고 들어온 사위, 남의 자식일수록 내 자식의 지극한 사랑의 정에 따라 뜨겁게 지극해지게 마련인 법이라, 그 사위 또한 딸 못지않게 깜짝 놀란 듯 반가워하며, 자기가 어협 조합의 총대일을 보느라 바빠서 막동이 처남한테 면회 한 번도 못 갔음을 죄송해하더니, 막동이의 건강 상태에 대해 묻고, 한동안 말없이 담배만 빨고 있다가, 딸이 저녁 설거지를 마치고 들어서자, 모녀가 오랜만에 만났으니 이런저런 할 이야기가 쌓였을 게 아니냐면서 마을을 나갔다.

그러나 그 사위가 눈물겨울 만큼 고맙게 생각을 하여 준 대로, 모녀가 오랜만의 정담을 나누며 나란히 누워 밤을 새우기라도 했으면 얼마나 좋을 것인가마는, 늙은 어머니는 그런 복자리를 타고나지를 못했고, 그 없는 복자리 때문에 애꿎은 딸까지 고생을 시켜야 하였다. 딸은 이 밤으로 어머니가 이고 온 미역을 김으로 바꾸어 와야 하는 것이었다.

"어쩌끄나, 악아, 죄 많은 에미 땀시 니가 못할 일이다."

목메인 소릴 하니,

"먼 말이요, 엄니, 딴생각 말고 여기 따땃한 데 누워 주무시씨오. 엄니가 미역 갖고 오실 줄 알고 미리 다 말해 논 데가 있응께 언능 바꽈 오꺼시오."

하며 딸이 미역 다발을 이고 나간 뒤, 늙은 어머니는 푸욱 한숨을 쉬었다.

다 큰 애기 뱃속에 담고 부엌에서 건장으로, 건장에서 부엌으로 허덕이며 다니기도 고달플 것을, 이제 고작 스물두 살 되는 젊은것이, 몸까지 무거워 있는 주제에, 어미 하나 잘못 만난 죄로, 밤마을의 집집을 미역 다발 이고 돌면서, 김을 건져 말리는 철이라 마을 사람들 모두가 고달파서 이미 잠이 들어 있을 터인데, '아무게네, 어마니, 주무시씨요?' 하고 나오지 않는 목소리로 깨워 가지고, 있는 언사 없는 언사 다 부려 가며, 김하고 바꾸러 다닐 그 딸의 모습을 생각하는 늙은 어머니는, 또 가슴이 소금 한 줌을 털어 넣고 물 안 마신 속처럼 쓰리고 아려 오는 것이었지만, 세상의 별의별 고생이나 어려운 일을 다 겪는다 한들, 이 한 겨울에 널빤지 바닥 위에서 올골골 떨고 있는 사람이 하는 고생에 갖다 대랴 하며, 이를 물고 눈을 딱 감아 버리는 것이었다.

딸이 밤마을을 돌아, 미역하고 바꾼 김을 보자기에 싸 안고 들어온 것은 한밤중이 이미 지난 때였는데, 그 딸이 방에 들어서자, 우두커니 등잔불의 심지를 돋우며, 푸르스름한 수의복에 싸여 나와 벙어리가 된 듯 멀거니 어미를 건너다보기만 하던 막동이 아들의 가득하게 물담긴 눈길과 부석부석 얼부푼 살빛을 생각하고, 콧물을 연해 훔치던 늙은 어머니는 딸의 차갑게 언 손을 붙잡고, 안방의 사돈네 부부가 들리지 않게 목울음 섞인 소리로

"에미를 잘못 만나서."

언제나 두고 쓰는 말을 또 하고 있었다.

딸은 그 어머니의 아픈 속을 너무나 잘 아는지라, 얼른 환히 밝은 얼굴로

"어메, 어메, 이 해우 잔 보소."

하며 보자기를 풀어 어슴푸레한 등잔불빛 아래서도 번들번들 윤기 나는 김을 내어 보이고,

"요놈은 오백 원짜리도 더 될 꺼시네, 곱 장사는 안 되겠는가?"

하는 것이었으나, 그 늙은 어머니의 희미한 눈, 가뜩이나 그렁그렁 눈물

이 괸 것만큼 가득한 한이, 겨울철 바람벽에 걸린 시래기 잎사귀같이 쭈그러든 가슴에 가득가득 담긴 어머니의 눈에는 그것이 보일 리 없었다. 딸은 더 밝은 목소리로,

"이참에 면회 갔다 옴스롱은, 뒷말에서 홍시나 조깐 받아 갖고 오소."

하고 말하며, 흩어진 김을 질이 좋고 나쁨에 따라 가리고 있었다.

7

자기가 면회를 한 번 갔다 온 셈 치고 드린다면서, 사위가 적잖은 돈 오천 원을 잡혀 준데다, 미역과 바꾼 김 네 통(40속)을 머리에 여다 주겠다고 앞장선 딸을 뒤따라 딸네 집을 나서는 늙은 어머니의 발은 날듯이 가벼웠다.

김 네 통, 이걸 이고 가지 못할까 보냐고, 몸도 무거운데 이 험한 잿길을 어떻게 짐까지 머리에 인 채 오르겠다고 이러느냐고, 너희 시어머니 시아버지가 어려우니 어서 김 건장으로 가 일을 보라고 돌려보내려 했지만, 딸은, 구름도 쉬었다 넘는다는 하늘재인데, 어머니가 어떻게 이 무거운 것을 이고 넘을 것이냐고 꼭대기까지는 여다 드릴 테니 걱정 말고 어서 가시자고 하며 콜록거리는 어머니를 앞세워 등을 밀어 주면서 비탈길을 올랐다.

허위허위 재 꼭대기를 올라선 딸, 그 딸은, 휘이 하고 가쁜 숨을 내어쉬는 어머니의 하얗게 센 머리칼을 바라보면서, 이대로 한없이 어머니를 앞세우고 가, 장터에서 목탄차 타는 것까지를 보고 돌아갔으면 얼마나 좋겠느냐 싶어지지 않는 건 아니었지만, 시하에 사는데다 남정네의 명에 매인 처지이니 그럴 수는 없는 일이었다. 앞으로 시오릿길은 족히 더 걸어야 장터가 나오는데, 거기까지 이 무거운 걸 머리에 인 채 활개

를 휘젓고 지팡이를 내두르며 콜록거리고 가실 어머니의 모습이 눈에 휜히 들어와, 우선 눈물부터 나오는 것이었으며, 자기 머리 위에 있는 김 보따리를 어머니의 머리 위에다 옮겨 드리기는 드려야 하겠는데, 북어 껍데기를 입혀 놓은 듯한 얼굴 살갗에, 머리가 하얗게 센데다, 허리는 반쯤 굽은 그 어머니의 머리 위에다 그걸 얹어 드릴 수가 차마 없어, 그걸 그대로 땅에 내려놓은 채,

"어메, 어메! 어메는 언제나 놈 산 시상을 살 것이란가!"
하고, 여기에서야말로 아무도 들어 흉보고 눈감추고 할 사람 없을 터라, 목을 놓아 우는 것이었다. 그러나 늙은 어머니는, 딸이 그렇게 서러워하고 가슴 아파하는 것이 뱃속에 든 아기의 신상에 좋지 않을 것이라 생각하며, 그 딸 못지않게 끓어오르는 뜨거운 설움의 덩어리를 아드득 이 악물어 씹으면서,

"언능 내려가그라, 몸이 무거울 때는 돌부리 하나라도 조심조심 건드려 봄스로 댕게사 쓴단다."
하며, 김 보따리를 불끈 들어 머리에 이기가 바쁘게 지팡이를 부지런히 앞으로 앞으로 옮겨놓는 것이었다. 그러나 옮겨놓는 지팡이가 부지런히 왔다갔다 함에 비해, 몸은 앞으로 나아가는 것 같지가 않는 그 어머니의 뒷모습을 내려다보는 딸의 눈에서는 웬 눈물이 그렇게도 많이 괴어 있었던지, 닦아도 닦아도 자꾸만 흘렀다.

얼마쯤 비탈길을 내려가던 어머니가 돌아보았을 때, 딸의 옷고름을 잡은 오른손은 자꾸 눈시울을 오르내리고 있었다.

어머니가 돌아본다고 생각한 딸은 재빨리 손을 치며

"이무니이! 해우 다 해 놓고 니도 민해(면회)간닥 히드리고 히씨요잉!"
하고 소리를 쳤는데, 그 소리가 여기저기 그늘잡아 덜 녹은 눈들이 희끗희끗한 산골짜기를 굽이쳐 흘러 어머니의 가슴에 전율을 치자,

"오냐아! 언능 들어가그라아!"

하고 어머니가 재 꼭대기를 향해 해숫기침 어른 소리로 외쳤는데, 그 메아리가 기슭을 싸고 돌다가 높푸른 겨울 하늘로 스며 가고 있었다.

그 늙은 어머니가 이 날따라 자꾸 막동이의 창백한 얼굴이 눈에 밟혀 쌓고, 혹시 어디 아프기라도 하는지 모르겠다 하여지는 조급한 생각이 들어, 대덕 장터에서 목탄차를 타고 가서, 보성읍에서 기차를 갈아탄 것은 오후 세 시였으며, 광주에서 내린 것은 밤 아홉 시가 훨씬 지나서였다.

언제나처럼 형무소 벽돌담 옆 밥집에 주인을 정하여 김 보따리를 맡긴 늙은 어머니는, 밥을 청해 먹을 생각도 하지 않고 밖으로 나와 형무소의 정문 있는 쪽으로 가서, 훤히 불이 켜진 채 교교한 형무소의 육중한 철문을 바라보았다. 면회를 올 때마다 밤이 깊어 들여다보곤 하는 형무소의 철문인데, 이 날따라, 그 튼튼한 철문을 교묘하게 뱀이나 날짐승처럼 새어 들어가 아들을 만났으면 하는 엉뚱한 생각이 가슴을 쓰라리고 아프게 하는 것은 또 무슨 변고인지…… 금테 둘린 모자를 쓴 수위가 똑바로 앉아 늙은 어머니가 서 있는 담벽 옆의 어둠을 내다보고 있었으므로, 늙은 어머니는 발길을 돌렸다.

이 밤이 새면 막동이 아들을 만난다는 생각에 두근거리는 가슴을 안고, 내일 면회 때 들여줄 사식을 쇠고깃국으로 해야겠다고 생각하며 골목길을 걸어나간 늙은 어머니는, 다리 건너에 있는 푸줏간에서 쇠고기 한 근을 뜨고 옆 가게에서 양념거리를 산 뒤, 그놈이 좋아하던 게 무엇인가를 생각하다가, 얼른 호박떡을 생각해 냈다.

집에서 나설 때, 국 끓일 냄비 등속은 준비했으면서도, 왜 호박떡 생각은 못했을까 하고 한스러워하다가 이 근처에서는, 돈이 없어 서럽지, 돈만 있으면 호랑이 콧수염도 구한다고 않더냐 하고 생각하며, 떡집이 있을 만한 거리거리를 헤매어 다녔다. 그러나 시루떡, 몽둥이떡, 송편, 인절미 등속은 있었지만, 호박을 넣어 시루에 찐 호박떡은 구할 수가 없었다. 하는 수 없이 고물을 달게 넣은 찹쌀떡 한 봉지를 샀다. 밥집으로 들어오다가, 면회를 올 때면 가끔 마주치는 해남에 산다는 한 젊은 아낙을 길에서 만나, 감옥 안에 든 사람들은 변비가 심하여 똥누기가 어려우니, 떡 같은 것보다는 우유를 넣어 주는 것이 제일 좋다는 말을 들었다. 우유가 뭐냐고 물으니, 그것은 염소나 소의 젖이며, 그게 사람의 젖보다 훨씬 보가 되는 것이며, 면회 시간이 가까워지면 형무소 문앞에 그 우유장수들이 더러 모여든다는 것을 상세히 가르쳐 주었다.

늙은 어머니는 얼핏, 그놈이 젖먹이일 때, 갑자기 벼르더니 딸이 생겨 젖이 끊어져 버렸는데, 그 때 기껏 꽁보리밥을 씹어 먹였을 뿐인데다가 설사까지 나서, 송기 벗긴 막대기같이 비쩍 말라서, 눈 뜨고는 볼 수 없게 되어 버렸던 기억을 되살리고, 내일은 잊지 않고 우유 두 병을 사서 넣어 주겠다고 생각했다.

이날 밤, 쇠고깃국을 끓여 놓고, 밤을 숫제 하얗게 밝힌 늙은 어머니는 새벽녘에 일어나, 아직 열리려고 생각지도 않는 형무소의 철문을 한참 동안이나 바라보다가 들어왔다.

열 시부터 면회가 시작되는 것이었지만, 늙은 어머니는 가만히 앉아 기다릴 수가 없어, 부엌의 연탄 아궁이에서 끓여 놓은 국을 자꾸 데우면서 짤세라, 싱거울세라, 매울세라, 자꾸 쩝쩝 맛을 보고, 깨를 치고, 양파를 썰어 넣고 하느라고 앉아 있다가, 아침 준비를 서두르는 주인 여자의 신경질적인 욕을 얻어먹었지만 그것이 대수는 아니었다.

아침을 먹는 둥 마는 둥 하고, 주인 아저씨에게 귀찮게 시간을 물어서 여덟 시 가까운 때에 형무소의 철문 앞으로 달려가서 기다렸다가, 아홉 시가 다 되어 나온 수위가 그 철문을 미처 다 열기도 전에 새어 들어가, 면회 신청 접수구 앞으로 가 서 있었다. 면회 접수를 막 해 두고는 달려가서 쇠고깃국 냄비를 들고 오리라 하는데, 접수구의 문은 왜 그리도 열리지 않는 것인지…….

이 날 면회 신청은 물론 그 늙은 어머니가 제일 먼저 하였다. 접수를 하고 나자 늙은 어머니는 금방 조급해졌다. 전에 하던 것으로 보아, 얼마 있지 않아 아들을 데려다 줄 것이라 생각하며 곧 밥집으로 달려갔다. 가는 도중에 우유 장사를 만났다. 아차, 잊을 뻔했구나 하며 우유 두 병을 샀는데, 그게 제법 따끈한 게 다행이라 싶었다.

그걸 든 채로 밥집으로 가, 쇠고깃국 끓인 냄비를 한 손에 들고, 우유를 찹쌀떡 싼 보자기에 집어넣어 지팡이 든 손에 끼어 들고 면회장 입구로 달려가 기다리는데, 또 왜 이 날 아침에야말로 이리도 더디 데려다 주는 것인지 환장할 것 같았다.

"국이 다 식어 뿔구만, 어째서 당아 안 덱고 나온다냐?"
하고 투덜거리던 늙은 어머니는, 쇠고깃국과 우유가 식는 게 안타까워 여기저기를 두리번거리다가 재빨리 묘안을 하나 생각하여 냈다. 쇠고깃국을 대기소 안의 난로 위에 올려놓고, 우유는 치맛말을 들치고 젖가슴에다 꼭 끼워 묻는다.

늙은 어머니의 바로 다음 차례로 접수를 하던 부인들과 남정네들이 자기들 이름을 불러 줄 것을 기다리며 서성거리고 있었다. 대기소에서 면회장으로 들어가는 입구를 지키는 교도관은 죄수들이 도착할 때마다 그 죄수 면회 온 사람 이름을 불러들이곤 했다.

'아니, 어짠 일이란가?'
맨 먼저 접수를 시켰으니 응당
"윤 소님 씨!"
하고 늙은 어머니의 이름을 더 먼저 불러들여야 할 일인데도, 이미 늙은 어머니보다 훨씬 늦게 접수한 사람들을 무려 여섯 사람이나 면회장 안으로 불러들이고 있으면서, 그 늙은 어머니를 불러 넣어 주지는 않는 것이었다.

'멋 땀시 그란단가?'

혹시 그놈이 아파서 못 나오는 것은 아닌가, 아니, 어디 다른 델 보내 버렸을까, 하며 조급해진 늙은 어머니의 생각에, 꼭 열두 번째의 사람을 면회장 안으로 불러들였다고 느껴지는 순간,

"윤 소님 씨!"

하는 소리가 들려, 휘이, 이제야 데리고 나왔는가 보다 하며, 난로 위의 뜨거운 쇠고깃국 냄비를 뜨거운 것도 의식하지 못한 채 덥석 들어 안고 면회장 안으로 들어서려는데, 입구를 지키던 교도관이

"할머니!"

하고 늙은 어머니를 세우더니, 손에 든 종이쪽지를 옆에 서 있는 다른 교도관에게 보이며 무슨 말인가를 속닥거렸다. 그러더니 눈살을 잔뜩 찌푸리며 쓴 입맛을 다시고,

"이막동이가 아들이요?"

하고 물었다.

"야."

가슴이 후들거리고, 기침이 목구멍 너머에서 자꾸 근질거리며 튀어나오려는 것을 이를 악물어 억누르는데,

"이막동말고 아들 또 있소?"

하고 다시 물었다. 둘이나 있다고 하자, 그 교도관은 옆에 있는 교도관하고 말을 주고받은 뒤 고개를 주억거리다가,

"이막동 씨 어제 옮겨 갔어요."

하는 것이었다.

"야?"

무슨 뜻이냐고 묻자, 교도관이 예쁘장하게 생긴 얼굴을 다시 한 번 일그러뜨리고, 문밖으로 멀리 갔다는 손짓을 곁들여, 퉁명스런 목소리로

"목포로 갔단 말이요, 어제. 빨리 그리로 가 보시오."

늙은 어머니는 자기의 귀를 의심했다.

"목포로 욍게라우?"

교도관은 고개를 깊이 주억거려 주고, 잠시 동안 천장을 멀거니 쳐다보다가 다음 사람을 불렀다.

"어따 어메, 어째사 쓰꼬!"

하고 허둥허둥 나서다가, 쿨룩쿠울룩 터져 나오는 기침 때문에 배창자를 긁어 쥐느라고 쪼그려 앉은 늙은 어머니의 품 속에서 우유병 하나가 떨어져 하얗게 박살이 나고 있었는데, 옆에 섰던 한 남자가 안되었다는 듯 끌끌 혀를 차는 것이, 그 늙은 어머니의 귀에 들어갔을 까닭 없던 것이었다.

박완서

옥상의 민들레꽃

도둑맞은 가난

지은이

1931~ 경기도 개풍에서 출생. 1970년에 《여성동아》에 장편 〈나목〉이 당선해 문단에 등장했다. 이후 〈어떤 나들이〉, 〈부끄러움을 가르칩니다〉, 〈그 해 겨울은 따뜻했네〉, 〈엄마의 말뚝〉, 〈그 많던 싱아는 누가 다 먹었을까〉 등 섬세하고 유머있는 문체와 사실성을 바탕으로 한 문제작을 잇달아 발표했다. 인기 작가이면서 문학성도 높은 작품을 발표하는 작가이다.

옥상의 민들레꽃

우리 아파트 7층 베란다에서 할머니가 떨어져 돌아가셨습니다. 실수로 떨어지신 게 아니라 일부러 떨어지셨다니까 할머니는 자살을 하신 겁니다. 이런 일이 벌써 두 번째입니다. 그것을 제일 먼저 발견한 할머니의 며느리가 놀라서 소리를 지르자, 아파트에 사는 사람들이 모두 베란다로 뛰어나갔습니다. 나도 뛰어나갔습니다. 다만, 엄마가 뒤에서 내 눈을 가렸기 때문에 7층에서 떨어진 할머니가 어떻게 망가졌는지 보지는 못했습니다.

엄마는 내 눈을 가려 주면서 떨리는 목소리로 말했습니다.

"오오, 끔찍한 일이다."

다른 어른들도 "끔찍한 일이야. 오오, 끔찍한 일이야." 하면서 아이들의 눈을 가려서 얼른 안으로 데리고 들어갔습니다.

우리 궁전 아파트는 살기가 편하고, 시설이 고급이고, 환경이 아름답기로 이름이 난 아파트입니다. 우리 나라에서 나는 물건은 물론, 외국에서 들어온 물건까지 없는 것 없이 갖추어 놓은 슈퍼마켓도 있고, 어린이를 위한 널찍한 놀이터도 있고, 아름다운 공원도 있고, 노인들을 위한 정자도 있고, 사람의 힘으로 만든 푸른 연못도 있습니다.

누가 "너, 어디 사냐?" 하고 물었을 때, 궁전 아파트에 산다고 하면, 물은 사람의 얼굴에 부러워하는 빛이 역력해집니다. 그리고 한숨을 쉬며 말합니다.

"참 좋겠다. 우린 언제 그런 데 살아 보누."

그러니까 궁전 아파트에 살지 않는 사람들은 궁전 아파트에 사는 사람들이 행복하다는 걸 아무도 의심하지 않나 봅니다. 그렇게 믿고 있는 사람들을 실망시키지 않기 위해서도 궁전 아파트에 사는 사람들은 모두모두 행복할 수밖에 없습니다.

그런데 이게 웬일입니까? 벌써 두 사람이나 살기가 싫어서 스스로 목숨을 끊었습니다. 얼마나 사는 게 행복하지 않으면 목숨을 끊고 싶어지나 궁전 아파트 사람들은 상상도 할 수 없습니다. 궁전 아파트 사람들이 생각할 수 있는 건 앞으로 이런 일이 다시는 일어나선 안 된다는 겁니다. 이런 일이 자꾸 일어나 소문이 퍼져 보십시오. 사람들은 궁전 아파트 사람들의 행복이 가짜일 거라고 의심할지도 모릅니다. 그렇게 되면 큰일입니다. 그런 생각만으로 궁전 아파트 사람들은 금방 불행해지고 맙니다.

궁전 아파트 사람들이 여태껏 행복했던 것은 다른 사람들이 그렇게 알아 주었기 때문이니까요. 그것은 마치 엄마를 행복하게 하는 이유가 엄마의 보석 반지가 아름다워서가 아니라, 그 보석이 진짜라는 보석 장수의 보증 때문인 것과 같은 이치입니다.

여태껏 굳게 믿고 있던 행복이 흔들리자, 궁전 아파트 사람들은 그 불안을 견디다 못해 회의를 하기로 했습니다. 모이는 장소는 칠십 평짜리 아파트 두 채를 터서 쓰는 사장님 댁으로 정했습니다.

넓은 사장님 댁은 벌써 사람들로 꽉 들어차 있었습니다. 반상회날보다 더 많은 사람들이 모여들었습니다. 반상회날은 더러 아이들도 섞여 있었는데, 오늘은 아이들이 한 명도 안 보입니다. 어른들만 모여 있으니까 회의의 분위기가 한층 엄숙해지는 것 같았습니다.

엄마도 그제서야 내가 따라간 게 창피한지 눈짓을 하며 나를 등 뒤로 숨기려 했습니다. 그러나 나는 엄마 등 뒤에 숨을 수 있을 만큼 작은 아이가 아닙니다. 나는 모습을 보이고 싶고 참견도 하고 싶었습니다. 다른 일이라면 모를까 이번 일은 내가 꼭 참견을 해야 할 것 같았습니다.

왜냐 하면, 나는 그 할머니가 왜 살고 싶지 않았는지를 알고 있기 때문입니다. 생전의 그 할머니와 만나 본 적은 없지만, 그것만은 자신 있게 알고 있었습니다.

"에에또, 이렇게 여러 귀빈들을 한 자리에 모시게 되어서 영광입니다. 오늘은 저희 집에 모신만큼 제가 임시 회장이 돼서 이 회의를 진행하겠습니다. 아 참, 회장이 있으려면 회 이름도 있어야겠군요. 명함에 넣으려면 '무슨무슨 회' 회장이라고 해야지 그냥 회장이라고 할 순 없지 않습니까? 안 그렇습니까, 여러분?"

"옳습니다."

여러 사람이 찬성을 했습니다.

"'서로 돕기회'가 어떻습니까?"

어떤 젊은 아저씨가 말했습니다.

"안 됩니다, 그건. 서로 돕다니요? 우리가 뭐가 부족해서 서로 돕습니까? 이웃돕기는 가난하고 불쌍한 사람들끼리 하는 겁니다."

"옳소, 옳소."

여러 사람이 찬성했기 때문에 '서로 돕기회'는 부결이 됐습니다.

"그, 그렇지만 우리가 여기 이렇게 모인 건 서로 돕기 위해서가 아닙니까?"

'서로 돕기회'를 주창한 아저씨가 외롭게 말했습니다.

"아닙니다. 이번 사고를 수습할 대책을 마련하려고 모인 겁니다."

"아, 됐습니다. 바로 그겁니다. 수습 대책 협의회가 좋겠군요. '궁전 아파트 사고 수습 대책 협의회'……. 적당히 어렵고 적당히 길고, 그걸로 정할까요?"

"사장님, 아니 회장님, 그럼 그 명의로 명함을 만드실 건가요?"

"그럼은요. 썩 마음에 드는 명칭입니다. 안 그렇습니까?"

"안 그렇습니다. 그건 마치 우리 궁전 아파트가 사고만 나는 아파트란 인상을 퍼뜨리는 것과 같습니다. 아파트 값이 뚝 떨어질지도 모릅니다."

아파트 값이 떨어질지도 모른다는 소리에 여러 사람들이 일제히 와글와글 들고일어나 그 의견도 부결이 됐습니다.

"여러분, 지금 급한 건 회의 이름 짓기가 아닙니다. 어떡하면 그런 사고가 다시는 안 일어나게 하는가 하는 겁니다. 이번에 벌써 두 번째입니다. 이 소문이 퍼져 보십시오. 제일 먼저 영향을 받는 건 우리 아파트 값일 겁니다. 아마 한 번만 더 사고가 나면 우리 아파트 값은 당장 똥값이 될걸요."

회 이름을 '서로 돕기회'로 하자던 아저씨가 이렇게 말하자, 장내는 조용해지고 사람들의 얼굴은 사색이 됐습니다.

"여러분, 우리 아파트 값을 똥값으로 만들지 않기 위해 머리를 짭시다. 좋은 의견이 있으신 분은 편한 마음으로 말씀해 주십시오."

"젊은 사람, 그것은 회장의 권한입니다. 좋은 의견이 있으신 분은 말씀해 주십시오."

회장이 젊은 아저씨로부터 말끝을 빼앗았습니다.

"저요, 저요."

나는 학교에서 선생님한테 나를 시켜 달라고 조를 때처럼 손을 들고 벌떡 일어서려 했습니다. 그런데 엄마가 나를 붙잡았습니다.

"아니, 여기가 어딘 줄 알고 네가 나서려고 해? 아이, 창피해."

엄마의 얼굴이 홍당무가 됩니다.

"아니, 여기가 어디라고 아이를 끌고 다녀? 쯧쯧."

사람들이 수군대는 소리도 들립니다. 엄마는 얼굴이 더 빨개지면서 어쩔 줄을 모릅니다.

"제가 한 마디 하겠습니다."

뚱뚱한 아줌마가 엄숙한 말로 말을 시작했습니다.

"나도 조금 전까지만 해도 지금처럼 심각하진 않았습니다. 우리 집엔 노인네가 안 계시니까요. 그러나 지금은 누구 못지않게 심각합니다. 다들 그래야 됩니다. 노인네들 지키는 것은 노인네를 모신 집만의 골 칫거리지만 최고의 아파트 값을 지키는 것은 우리 모두의 일입니다. 아시겠어요?"

장내가 물을 끼얹은 듯 조용해졌습니다.

"제일 처음 우리가 할 일은 절대로 이번 사고를 입 밖에 내지 않는 겁니다. 소문만 안 나면 그런 일은 없었던 거나 마찬가집니다. 다음은 그런 일이 다시는 안 일어나게 하는 겁니다. 감쪽같이 감추는 것도 한두 번이지, 자주 계속되면 소문이 안 날 수가 없게 됩니다. 왜냐 하면, 이사 가는 사람이 생기거든요. 나부터도 그런 사고가 한 번만 더 나면 아파트 값이 뚝 떨어지기 전에 제일 먼저 팔고 이사를 갈 테니까요. 이사만 가 보세요. 뭐가 무서워 소문을 안 냅니까? 아시겠죠? 소문을 안 내는 것보다는 그런 사고가 또다시 안 일어나게 하는 게 더 중요한 까닭을……."

모두들 말없이 고개만 끄덕였습니다. 뚱뚱한 여자는 더욱 의기양양해서 연설을 계속했습니다.

"그래서 제가 연구한 사고 방지책을 지금부터 말씀드리겠어요. 조용히 하세요, 조용히……. 우리 아파트 베란다는 너무 허술해요. 노인네가 아니라도 아이들이 장난치다 떨어지지 말란 법도 없잖아요?”

“아유, 끔찍해라.”

엄마가 나를 꼭 끌어안았습니다. 딴 엄마들도 아이들도 떨어질 수 있다는 새로운 근심에 안절부절못합니다. 아이들한테만 집을 맡기고 온 엄마는 뒤로 몰래 빠져나갈 눈치를 보이기도 합니다.

“그래서 베란다에다 일제히 쇠창살을 달면 어떨까 하는 의견을 말씀드리는 겁니다. 바람은 통하되 사람은 빠져나갈 수 없는 쇠창살 말입니다.”

“옳소, 옳소.”

“옳은 말씀이에요. 왜 진작 그런 생각을 못 했을까? 인제부터 발 뻗고 자게 됐지 뭐예요?”

모든 사람들의 얼굴에서 근심이 걷히면서 뚱뚱한 여자의 의견에 대한 칭찬의 소리가 자자했습니다.

“옳은 일은 서두르는 게 좋아요. 곧 쇠창살을 해 달도록 합시다. 회장의 권한으로 명령합니다.”

회장님이 주먹으로 탁탁 탁자를 치면서 말했습니다.

“쇠창살 주문은 내가 받겠어요. 우리 애기 아빠가 쇠붙이 회사 사장이니까요. 누구보다도 값싸게, 누구보다도 빨리 해 드릴 수가 있어요. 품질은 보증하겠느냐고요? 여부가 있나요.”

뚱뚱한 여자가 신이 나서 소리쳤습니다. 사람들은 서로 먼저 쇠창살 신청을 하려고 밀치고 아우성이었습니다.

“여러분, 침착하세요. 이럴 때일수록 흥분을 가라앉히고 이성을 되찾아 침착하게 생각해야 합니다. 과연 쇠창살이 가장 좋은 방법일까요?”

젊은 아저씨가 아우성치는 사람들을 향해 팔을 휘두르며 외쳤습니다. 사람들은 젊은 아저씨의 다음 말을 기다리느라 잠깐 조용히 하였습니다.

그 때 나는 내가 다시 나서야 할 것처럼 느꼈습니다.

나는 알고 있기 때문입니다. 베란다에서 떨어져 그만 살고 싶은 마음을 돌이킬 수 있는 건 쇠창살이 아니라 민들레꽃이라는 걸 나만이 알고 있기 때문입니다. 내가 알고 있는 건 어른들처럼 갑자기 떠오른 생각이 아니라 겪어서 알고 있는 것이기 때문에 더욱 자신이 있었습니다. '베란다에 있어야 할 것은 쇠창살이 아니라 민들레꽃이에요. 정말이에요.'

그 소리를 높이 외치고 싶어 목구멍이 간질간질하고 가슴이 두근댑니다. 오줌을 쌀 것처럼 아랫도리가 뿌듯하기도 합니다. 나는 참을 수가 없어서 몸부림치면서 엄마의 품을 벗어나려고 했습니다.

"얘가, 누구 망신을 시키려고 또 이러지?"

엄마는 입 속으로 중얼대면서 쇠사슬처럼 꽁꽁 나를 껴안았습니다. 젊은 아저씨가 말을 계속했습니다.

"여러분, 우리 아파트가 가장 값이 비싼 것은 내부의 시설과 부대 시설이 잘 된 때문만은 아니란 걸 알아야 합니다. 우리 아파트는 겉모양이 아름답기로도 소문난 아파트입니다. 지나가던 사람도 우리 아파트를 보면 금방 한번 살아보고 싶은 생각이 들 만큼 아름다운 겉모양을 하고 있습니다. 옛 궁전이나 성을 연상하고, 그 속에 들어가 살면 왕족이나 귀족이 될 것 같은 희망이 생기기도 합니다. 그런 아파트의 베란다마다 쇠창살을 달아 보세요. 사람들이 뭘 연상하겠습니까?"

"감옥이요, 감옥."

"세상에, 끔찍해라. 감옥이라니……."

"아파트 값이 똥값이 되고 말 거예요."

"나라면 거저 줘도 안 살 거예요."

이렇게 해서 베란다에 쇠창살을 달자는 의견은 흐지부지되고 말았습니다.

"제 생각으로는……."

노 교수님이 천천히 입을 열었습니다. 사람들의 눈길이 노 교수님의 우물대는 입가로 모였습니다.

"제 생각으로는 할머니가 두 분씩이나 왜 갑자기 살고 싶지 않아졌나 우리가 그걸 먼저 알아야 한다고 생각합니다. 중요한 건 그 분들이 목숨을 끊고 싶어 끊었지 베란다가 있기 때문에 끊은 건 아니라는 겁니다. 목숨을 꼭 끊고 싶으면 베란다가 아니라도 끊을 데는 얼마든지 있습니다.

"옳소, 옳소."

젊은 아저씨가 눈을 빛내면서 큰 소리로 동의했습니다.

"그 분이 왜 목숨을 끊고 싶었을지에 대해 아는 대로 대답해 주십시오. 먼저, 돌아가신 할머니의 따님과 며느님."

교수님은 교수님답게 대답을 기다리지 않고 지적을 합니다.

지난번에 돌아가신 할머니는 따님하고 같이 사셨고, 이번에 돌아가신 할머니는 아드님하고 같이 사셨답니다. 두 할머니의 딸과 며느리는 고개를 숙이고 눈물을 닦을 뿐 대답을 못 합니다.

"무엇을 부족하게 해 드리지 않았습니까?"

교수님은 울고 있는 아주머니들을 똑바로 바라보면서 따지듯이 말했습니다.

"아니요, 그런 일 없었습니다. 저희 어머니의 방 냉장고는 늘 어머니께서 즐기시는 음식으로 가득 채워져 있었고, 옷장엔 사시장철 충분히 갈아입을 수 있는 비단옷으로 가득 차 있었습니다. 어머니께서 돌아가신 후 그걸 다 양로원에 기부했는데, 열 사람의 노인네가 돌아가실 때까지 입을 수 있을 거라고 했습니다. 필요하시다면 그 분들을 증인으로 부를 수도 있습니다."

"아, 알겠습니다. 이번엔 며느님에게 변명할 기회를 드리겠습니다."

"저도 마찬가지입니다. 지금도 그 분의 방이 그대로 보존돼 있습니다만, 부족한 건 아무것도 없습니다. 제 방과 똑같은 크기의 방에 제 방에 있는 건 그 분의 방에도 다 있습니다. 그 분이 한 번도 듣지 않는 전축이나 녹음기도 제 방에 있는 것이기 때문에 그 분 방에도 들여놓았습니다. 그랬건만 그 분은 늘 불만이셨습니다."

"바로 그겁니다. 그걸 말씀해 주셔야 합니다."

교수님이 마침내 유도 신문에 성공한 형사처럼 좋아하며 그 아주머니 앞으로 한 발 다가갔습니다.

"그 분은 손자를 업어서 기르고 싶어하셨어요."

"그건 안 되죠. 안짱다리가 되니까."

"그 분은 바느질을 좋아해서 뭐든지 깁고 싶어하셨어요. 특히 버선을 깁고 싶어하셨죠."

"점점 더 어렵군요. 요새 버선이라니? 더군다나 기워서 신는 버선을 어디 가서 구하겠소?"

"그 분은 또 흙에다 뭘 심고, 거름을 주고, 김을 매고 싶어하셨어요. 그 분은 시골에서 자란 분이거든요."

"참으로 참으로 어려운 분이셨군요."

교수님은 낙담을 합니다. 이 때 젊은 아저씨가 또 나섭니다.

"이제야 알겠습니다. 그 분은 고향이 그리워서 돌아가셨군요."

"저희 어머니는 이 도시가 고향인데도 베란다에서 떨어지셨어요."

먼저, 돌아가신 할머니의 딸이 젊은 아저씨에게 말했습니다.

"고향이 시골이 아니어도 마찬가질 겁니다. 도시에서도 사람 살아가는 모습이 예전보다 너무 많이 달라졌으니까요. 노인들은 예전의 사람 사는 모습이 그리워서 더 이상 살고 싶지가 않았을 겁니다. 그렇지만 제아무리 효자라도 세월을 거꾸로 흐르게 할 수는 없습니다. 이렇게 문명화된 세상에 돈 가지고 안 되는 일이 아직도 남아 있다는 건 참으로 통탄할 일입니다."

젊은 아저씨가 이렇게 결론을 내리자 장내가 숙연해졌습니다.

나는 이번에야말로 내가 나설 차례라고 생각했습니다. 다시 목구멍이 간질간질하고 가슴이 울렁거리고 오줌이 마려웠습니다.

나는 베란다에서 떨어져 목숨을 끊고 싶은 생각을 맨 마지막으로 막아 줄 수 있는 게 쇠창살이 아니라 민들레꽃이라는 걸 알고 있습니다. 마찬가지로, 할머니가 살고 싶지 않아진 게 세월을 거꾸로 흐르게 할 수 없었기 때문이 아니란 것도 알고 있습니다. 둘 다 상상이나 남에게 들어서 알고 있는 게 아니라, 스스로 겪어서 알고 있는 것이기 때문에 확실합니다. 나는 어른이 되려면 아직 먼 사람인데도 살고 싶지 않았던 적이 있습니다. 정말입니다.

나는 이것을 말하고 싶어서 쇠사슬처럼 단단하게 나를 껴안은 엄마의 팔에서 드디어 벗어났습니다. 그리고 회장석 앞으로 나가려고 했습니다. 꼭꼭 끼여 앉은 어른들을 헤치려니 어떤 아저씨는 어깨를 짚었다고 눈을 부라리고, 어떤 아줌마는 발가락을 밟았다고 비명을 지릅니다. 그러건 말건 나는 반장도 모르는 어려운 문제의 답을 나만이 알고 있을 때처럼 의기양양 신이 나서 사람들을 마구 밀치고 드디어 앞으로 나섰습니다. 그러나 내가 미처 입도 떼기도 전에 회장이 탁자를 탁 치며 호령을 했습니다.

"누굽니까? 도대체 누굽니까? 이런 중대한 모임에 어린이를 데리고 온 분이 누굽니까?"

"죄송합니다. 미안합니다. 애가 막내라 버릇이 없어서……."

어느 틈에 엄마가 따라 나와 나를 치마폭에 싸면서 어쩔 줄을 모릅니다.

"그 아이를 데리고 먼저 퇴장할 것을 회장의 권한으로 허락합니다. 여러분 이의가 없으시겠죠?"

회장이 말했습니다. 모두 이의 없다고 엄마와 나의 퇴장을 찬성했습니다.

"이 회의에서 앞으로 결정된 일은 서면으로 통지할 테니 빨리 그 애를 데리고 돌아가시오."

"저도요, 저도요."

딴 엄마들도 회장한테 퇴장할 것을 허락받고자 손을 들었습니다. 이유는, 집에 놓고 온 아이가 베란다에서 떨어질까 봐 불안해서 더 이상 회의만 지켜볼 수가 없다는 거였습니다. 회장은 그런 엄마들에게도 퇴장을 허락했습니다. 엄마와 나를 선두로 여러 엄마들이 회의장을 물러났습니다. 집에 돌아온 나는 엄마에게 호된 꾸지람을 들었습니다.

나는 꾸지람을 들은 것보다 내가 알고 있는 걸 발표하지 못한 것이 억울하고 슬펐습니다. 내가 알고 있는 걸 어른들이 귀담아들어 주었더라면 베란다에서 사람이 떨어져 죽는 일을 미리 막는 데 적지 않은 도움이 되었을 것입니다. 내가 지금보다 더 어렸을 적입니다. 학교에도 가기 전이었으니까요. 어느 날, 누나와 형이 학교에서 만든 꽃을 한 송이씩 들고 왔습니다. 내일이 어버이날이라나요. 누나와 형은 또 조그만 선물꾸러미도 마련해 놓고 있었습니다. 내일 아침 꽃과 함께 엄마 아빠께 드릴 거라고 했습니다.

그날 밤, 나도 꽃을 만들었습니다. 누나가 쓰던 색종이를 오려서 만든 꽃은 보기에는 누나나 형 것만 훨씬 못해 보였습니다. 그러나 정성들여 만든 것이기 때문에 엄마 아빠가 신통해하실 것으로 믿고 가슴이 잔뜩 부풀어 있었습니다. 선물은 장만하지 않았습니다. 나는 학교에도 들어가기 전이라 용돈이 없으니까 그걸로 엄마 아빠가 섭섭해할 리는 없었습니다. 어버이날 아침이 됐습니다. 아침상에서 누나가 먼저 선물과 꽃을 아빠 앞에 내어놓았습니다. 아빠는 누나에게 뽀뽀하고 선물을 끌렀습니다. 넥타이 핀이 나왔습니다. 아빠는 입이 귀에까지 닿게 크게 웃으시면서 그 자리에서 넥타이핀을 넥타이에 꽂고, 꽃은 양복 깃에 달았습니다. 아빠의 얼굴이 예식장의 신랑처럼 행복해 보였습니다.

다음엔 형이 꽃과 선물을 엄마한테 드렸습니다. 엄마가 형한테 뽀뽀를 하고 선물을 끌렀습니다. 오색찬란한 브로치가 나왔습니다. 엄마는 좋아하시더니 브로치를 블라우스에 달고, 꽃은 단춧구멍에 끼우셨습니다.

다음은 내 꽃을 드릴 차례입니다. 그러나 형과 누나는 내 차례는 주지도 않고 어버이날 노래를 부르기 시작했습니다. 나는 그 노래를 모르기 때문에 따라 하지 못했습니다.

형과 누나의 노래를 들으며 부끄러워하고 좋아하시는 엄마 아빠의 모습이 꼭 신랑 신부처럼 고와 보였습니다. 나는 엄마 아빠가 아무쪼록 오래오래 아름답고 젊기를 마음속으로 바랐습니다. 그런 바람을 전하는 마음으로 조용히 나의 꽃을 엄마와 아빠의 사이에 놓았습니다. '꽃을 두 송이 준비할걸.' 하고 후회도 했습니다만, 어느 분이 가져도 상관 없다고 생각했습니다. 두 분이 함께 쓰는 물건이 한두 가지가 아니기 때문입니다. 두 분께 꽃을 드리고 나자 나는 뽐내고 싶은 마음보다 부끄러운 마음이 더해서 고개를 숙이고 아침도 먹는 둥 마는 둥 했습니다.

누나와 형은 학교에 갔습니다. 아빠는 꽃을 단 채 출근했습니다. 엄마도 꽃을 단 채 노래를 부르면서 집안일을 했습니다. 나는 놀이터에 나가 놀았습니다. 놀이에 싫증이 나고 배도 고프기도 해 집에 들어와 냉장고를 열려다가 나는 내 꽃을 보았습니다. 내 꽃은 식당 구석에 있는 쓰레기통 속에 과일 껍질과 밥 찌꺼기와 함께 버려져 있었습니다.

그 때 엄마는 거실에서 전화를 걸고 있었습니다. 오래간만에 소식을 알게 된 친구로부터 온 전화인가 봅니다. 아이는 몇이나 되나, 친구가 물어 본 모양입니다. 엄마는 한숨을 쉬면서 대답했습니다.

"글쎄 셋이란다. 창피해 죽겠지 뭐니? 우리 동창이나 우리 아파트에 사는 사람들을 아무리 살펴봐도 하나 아니면 둘이지 셋씩 낳은 사람은 하나도 없더구나. 창피해서 얼굴을 들고 다닐 수가 없단다. 어쩌다 막내를 하나 더 낳아 가지고 이 고생인지, 막내만 아니면 지금쯤 얼마나 홀가분하겠니? 막내만 아니면 남부러울 게 뭐가 있니?"

그 때 나는 처음으로 엄마에게 내가 필요하지 않다는 것을 알았습니다. 나에겐 나의 가족이 필요한데 나의 가족은 나를 필요로 하지 않는다는 건 나에게 견디기 어려운 슬픔이었습니다.

엄마는 늘 나를 '막내, 우리 귀여운 막내' 하면서 사랑해 주셨기 때문에, 나는 한 번도 엄마가 나를 사랑한다는 걸 의심해 본 적이 없었습니다. 그러나 엄마의 사랑은 거짓이었습니다. 나는 엄마를 진짜로 사랑했는데 엄마는 나를 거짓으로 사랑했던 것입니다.

나는 말없이 집을 나왔습니다. 계단을 오르고 또 올랐습니다. 마침내 옥상까지 올랐습니다. 옥상에서 내려다보니까 사람들이 개미처럼 작게 보였습니다. 나는 살고 싶지 않다고 생각했습니다. 정말 그랬습니다. 내가 사랑하는 사람들이 내가 없어져 줬으면 하고 바라고 있는데, 내가 무슨 재미로 살아가겠습니까? 나는 옥상에서 떨어지기 위해 밤이 되길 기다렸습니다. 낮에 떨어지면 사람들이 금방 보게 되고, 병원에 데리고 가서 살려 놓을지도 모르기 때문입니다. 나는 정말로 살고 싶지 않았기 때문에 밤까지 기다려야 했습니다.

밤을 기다리는 동안 춥지도 않았고 배고프지도 않았습니다. 아파트 광장에 차와 사람의 움직임이 멎자 둥근 달이 하늘 한가운데 와서 옥상을 대낮같이 비춰 주었습니다. 마치 세상에 달하고 나하고만 있는 것

같은 기분이 들었습니다. 그 때 나는 민들레꽃을 보았습니다. 옥상은 시멘트로 빤빤하게 발라놓아 흙이라곤 없습니다. 그런데도 한 송이의 민들레꽃이 노랗게 피어 있었습니다. 봄에 엄마 아빠와 함께 야외로 소풍가서 본 민들레꽃이었습니다.

나는 하도 이상해서 톱니 같은 이파리를 들치고 밑동을 살펴보았습니다. 옥상의 시멘트 바닥이 조금 파인 곳에 한 숟갈도 안 되게 흙이 조금 모여 있었습니다.

그건 어쩌면 흙이 아니라 먼지일지도 모릅니다. 하늘을 날던 먼지가 축축한 날, 몸이 무거워 옥상에 내려앉았다가 비를 맞고 떠내려가면서 그곳이 움푹하게 모이게 된 것입니다.

그 먼지 중에 민들레 씨앗이 있었나 봅니다. 싹이 나고 잎이 돋고 꽃이 피게 하기에는 너무 적은 흙이어서 잎은 시들시들하고 꽃은 작은 단

추만했습니다. 그러나 흙을 찾아 공중을 날던 수많은 민들레 씨앗 중에서 그래도 뿌리내릴 수 있는 한 줌의 흙을 만난 게 고맙다는 듯이 꽃은 샛노랗게 피어서 달빛 속에서 곱게 웃고 있었습니다.

도시로 부는 바람을 탄 민들레 씨앗들은 모두 시멘트로 포장된 딱딱한 땅을 만나 싹을 틔우지도 못하고 죽어 버렸으련만, 단 하나의 민들레 씨앗은 옹색하나마 흙을 만난 것입니다. 흙이랄 것도 없는 한 줌의 먼지에 허겁지겁 뿌리를 내리고, 눈물겹도록 노랗게 핀 민들레꽃을 보자 나는 갑자기 부끄러운 생각이 들었습니다. 살고 싶지 않아하던 것이 큰 잘못같이 생각되었습니다.

나는 집으로 돌아왔습니다. 온 가족이 나를 찾아 헤매다 돌아와서 슬피 울고 있었습니다. 엄마는 나를 껴안고 엉엉 울면서 말했습니다.

"아무 일도 없었구나, 막내야. 만일 너에게 무슨 일이 있으면 나도 더 살지 않으려고 했다."

엄마는 내가 무사히 돌아온 것만 반가워서, 말없이 집을 나간 잘못에 대해선 나무라지도 않았습니다. 나 역시 엄마의 잘못에 대해서 말하지 않았습니다. 엄마가 나를 사랑하고 나를 필요로 한다는 것을 안 것만으로도 충분했습니다. 그 일도 그렇게 끝났습니다.

그러나 그 일을 통해 사람은 언제 살고 싶지 않아지나를 알게 된 것입니다. 사람은 사랑하는 사람이 자기를 없어져 줬으면 할 때에 살고 싶지가 않아집니다. 돌아가신 할머니의 가족들도 말이나 눈치로 할머니가 안 계셨으면 하고 바랐을 것이 틀림없습니다.

그리고 살고 싶지 않아 베란다나 옥상에서 떨어지려고 할 때에 그것을 막아 주는 건 쇠창살이 아니라 민들레꽃이라는 것도 틀림없습니다. 그것도 내가 겪어서 알고 있는 일이니까요.

그러나 어른들은 끝내 나에게 그 말을 할 기회를 안 주었습니다.

도둑맞은 가난

상훈이가 오늘 또 좀 아니꼽게 굴었다. 찌개 냄비를 열자 두부점 위에 하필 커다란 멸치란 놈이 올라와 있었고, 그걸 본 상훈이는 허연 멸치 눈깔 징그럽다고 대가리는 좀 따고 넣으면 어떻겠느냐고 했다. 점잖게 눈살까지 찌푸리며 그런 소리를 했다. 나는 그 자리에서 이보란 듯이 대가리를 따서 입 속에 넣고 자근자근 씹으며 대가리에 영양분이 더 많은 것도 모르느냐고 대거리를 했다. 멸치가 아무리 커도 멸치는 멸친데 그까짓 멸치 대가리에 달린 파리똥만한 눈깔 따위에 다 신경을 쓰는 상훈이가 나는 아니꼽기도 하거니와 막연히 불안하기도 했다.

나는 내가 저를 얼마나 마땅찮아하고 있나를 나타내기 위해 입을 삐죽하며 눈을 보얗게 흘겨줬다. 그러나 상훈이는 탓하지 않고 곧 내가 하는 대로 덩달아 두부점과 우거지를 헤치고 멸치를 찾아먹기 시작했다.

"제기랄, 눈감고 죽은 놈은 한 놈도 없잖아."

"제명에 못 죽었으니까 그렇지 뭐."

"그럼 도미나 대구 같은 점잖은 생선도 눈뜨고 죽게."

"그럼 그걸 말이라고 해."

우린 같이 낄낄대며 아침을 게눈 감추듯 달게 먹었다.

"어때, 여자하고 같이 사니까 좋지?"

"응, 그렇지만 방이 너무 좁아서 너 불편하지 않아?"

나는 이 동네선 이만한 방에 대여섯 식구씩은 다 산다며, 저하고 나하고 같이 살게 된 후 절약되는 돈 액수를 또 한 번 조목조목 따져 들어갔다. 나는 그것을 따질 때마다 신바람이 났다. 먼저, 절약되는 액수 중 제일 큰 몫을 차지하는 방세 4천 원, 그러고 나서 연탄값, 반찬값, 양념값 등 덜 드는 걸 시시콜콜 따지자면 한이 없었다. 그렇지만 두 가구가 한 가구가 됨으로써 이익보는 수돗값, 전깃값, 오물세까지 따지면서도 가장 중요한 건 일부러 빼먹었다. 서로 좋아한다는 것, 실상은 이게 둘이 같이 사는 가장 중요한 이유일 텐데 나는 그 말을 번번이 빼먹었다. 그 말에 부끄럼을 타기도 했지만, 그 말만은 상훈이가 나에게 하게 하고 싶었다. 나는 같이 살자는 제안을 내 쪽에서 먼저 하면서도 그 말을 안 했다. 심지어 두 방 쓰다가 한 방 쓰면 연탄을 넉 장에서 두 장으로 절약하는 데 그치는 게 아니라, 둘이 한 이불 속에서 꼭 껴안고 잠으로써 다시 하루 반 장 내지 한 장의 연탄을 더 절약할 수 있다는 소리까지 거침없이 하는 배짱이 그 소리는 안했다. 안한 게 아니라 아껴 두었다. 언제고 제가 나에게 그 소리를 하게 할 테다. 나는 그렇게 벼르고 있을 뿐이다. 도시락을 싸서 상훈이를 먼저 내보내고 나는 서둘러 설음질(설거지)을 했다. 상훈이는 멕기 공장에 다녔다. 은반지를 감쪽같이 금반지로 만들기도 하고 백통수저를 은수저로 만들기도 하는 곳이란다. 아무려면 진짜 금반지하곤 어디가 달라도 다르겠지 했더니, 절대로 눈으로 봐선 다른 걸 알 수 없을 만큼 그 멕기 기술이란 게 희한하단다.

　내가 설음질을 할 때쯤은 나란히 달린 여섯 개의 방마다 설음질할 시간이었다. 방 앞에 달린 쪽마루에서 설음질들을 했다. 쪽마루 밑에는 연탄 아궁이가 있고, 쪽마루 위에는 식기, 바께쓰, 간장병 따위가 있으니까 쪽마루가 조리대, 싱크대가 되는 셈이었다. 집주인이 셋방에 부엌을 만들어 준답시고 추녀 끝에서 블록담까지 사이의 무명폭만한 하늘을 아예 슬레이트와 루핑 조각으로 막아 버려 명색이 부엌인 이 속은 침침하고 환기도 안 된다. 늘 연탄가스와 음식 냄새로 숨이 막힐 것 같다. 매캐하고 짜고 고리타분하고 시척지근한 냄새가 밖에서 갓 들어서면 눈이 실 만큼 독했다. 이 냄새는 방에도, 옷에도, 이부자리에도 배어 있었다. 내 몸에서도 이 냄새가 날 것이다.

그러나 나는 이 냄새를 부끄러워하거나 싫어하면 안 된다. 우리 어머니와 아버지와 오빠가 이 냄새를 싫어했기 때문이다. 이 냄새를 맡느니 차라리 죽는 게 낫다고 생각하고 어느 날 죽어 버렸기 때문이다. 나만 남겨 놓고 죽어 버렸기 때문이다. 나는 이런 못난 부모 동기에 복수하는 뜻에서도 이 냄새에 길들여져야 하는 것이다.

설음질들을 하면서 누구나 나에게 말을 시키지 못해 안달을 하고 있다는 걸 나는 안다. 내가 끌어들인 청년에 대해 모두 궁금한 모양이었다. 그러나 별 악의가 있어 뵈지는 않았다. 제일 끝방 아줌마가 혀를 끌끌 차며 힐끗 내 눈치를 보는 꼴이, 냉수라도 떠 놓고 예를 갖추라는 소리가 또 나올 것 같았다. 나라고 그런 소리를 아주 귀담아듣지 않는 건 아니었다. 그까짓 거 예만 갖출까, 이왕이면 여섯 방 아줌마들에게 국수 대접인들 못할까도 싶었다. 그렇지만 상훈이 제가 먼저 나를 좋아한다고 하기 전에 그런 일로 돈을 쓰다니 어림도 없다. 그래서 나는 아무도 나에게 말을 못 시키게 목청껏 노래를 뽑으며 설음질을 했다.

그까짓 두 식구 설음질, 저 푸른 초원 위에 그림 같은 집을 짓고—— 한 곡 부를 사이도 안 걸렸다. 나뿐 아니라 이 곳 셋방 여자들은 설음질을 대개 이렇게 후닥닥 엉터리로 해치웠다. 공장이나 취로 사업장으로 나갈 시간이 바쁘기 때문이었다. 밖은 바람이 칼날같이 매운 겨울 아침이었다. 바람이 쓰레질하듯 길바닥을 핥으며 연탄재와 더러운 종잇조각을 한 군데로 수북이 쌓아 놓았다가 다시 회오리바람이 되어 공중 높이 말아올려 삼지사방으로 더러운 진애를 살포했다. 뺨이 아리고 눈앞의 모든 것이 흙먼지 속에 부옇게 흐려졌다. 비탈에 닥지닥지 붙은 집들의 지붕을 덮은 슬레이트나 함석 조각이 이상한 소리를 내며 몸을 뒤틀었다.

고개가 목도리 속에 자라 모가지처럼 움츠러들었거나, 아예 머리통은 눈만 내놓고 강도처럼 복면을 하고서도 용케 만나는 사람마다 서로 잘 알아봤다. 거의 매일 같은 시간에 만나는 얼굴이기 때문이었다. 삽을 들고 취로 사업장으로 나가던 어떤 아줌마는 눈을 찡긋하며 너 요새 재미 좋다며 하기도 했다. 그럴 때 이 아줌마는 겹겹이 걸친 누더기 밖으로까지 이상하도록 짙은 색정적인 걸 발산했다. 나는 사춘기에 암내 내는 동물을 보았을 때처럼 부끄러움과 징그러움과 미묘한 호기심을 동시에 이 여자한테 느꼈다. 그리고 연탄 반 장을 아끼기 위해서라는 핑계로 한 이불 속에서 꼭 껴안고 자는 상훈이와의 뭔가 막연히 미흡한 고집을 생각하고 불안해졌다.

모든 것이 얼어붙은 겨울 아침의 산동네 골목골목은 살아 있는 것처럼 힘차게 꿈틀거리고, 만나는 사람마다 마치 여름 아침의 억센 푸성귀처럼 청청한 생기에 넘쳐 있다. 가난을 정면으로 억척스럽게 사는 사람들의 이런 특이한 발랄함을 우리 어머니는 얼마나 치를 떨며 경멸했던가. 배알도 없는 것들이 천덕스럽고 극성스럽기만 하다고. 그래서 어머니는 아버지와 아들을 꼬여서 같이 죽어 버렸던 것이다. 흡사 찌개 속의 멸치처럼 눈을 동자 없이 하얗게 뒤집어쓴 추한 주검과, 냄새나는 가난을 나에게 떠맡기고.

그들이 죽기를 무릅쓰고 거부한 가난을 내가 지금 얼마나 친근하게 동반하고 있나에 나는 뭉클하니 뜨거운 쾌감을 느꼈다. 그들은 겉으론 가난을 경멸하는 척했지만 실상은 두려워하고 있었다는 걸 나는 안다. 나는 뽐내기 좋아하는 소년처럼 가슴을 펴고 비탈길을 곤두박질하듯 달렸다.

  공장이라 부를 것도 없는 서너 간 정도의 온돌방에는 쏙닥거려 놓은 헝겊 조각이 무더기로 쌓여 있고 창가엔 세 대의 미싱이 놓여 있다. 주인 아줌마가 피륙을 겹겹이 겹쳐 놓고 본을 대고 면도칼로 오리는 일을 하다가 나를 쳐다보고 희미하게 웃었다. 나는 주인 아줌마가 피륙을 이렇게 잘게 쏙닥거리는 걸 볼 때마다 가슴에 통증이 올 만큼 아까운 생각이 들었다. 인형도 입을 것은 다 입는다. 팬티도 만들고 앞치마도 만들고 브래지어도 만들어야 한다. 원피스엔 주머니도 달고 단추도 달고 수까지 놔야 한다. 속치마에 레이스도 달아야 한다. 이런 일은 다 철저한 분업으로 이루어지기 때문에 코딱지만한 인형옷 하나 만드는 데도 몇 사람의 손이 가야 한다.

  나는 온종일 아줌마가 쏙닥거려 놓은 걸 미싱으로 박기만 하면 된다. 꼬마옷을 한없이 박음질하다 보면 나는 마치 내가 꼬마 나라에 유배되어 옷 짓는 노예 노릇을 하고 있는 것처럼 느꼈다. 주인 아줌마도 저녁 때쯤은 지쳐서 나더러 어깨를 쳐 달라며, 같지않은 것들이 옷들도 육실하게 입어 싼다고 욕을 했다. 그렇지만 그것들이 옷을 입어 쌓지 않고 벌거벗고 살게 되는 날이면 주인 아줌마도 나도 밥줄이 끊어지고 만다는 걸 모를 리가 없다. 나는 미싱을 놀리며 언제고 양재를 배울 것을 꿈꿀 때가 제일 즐거웠다. 옷다운 옷을 만드는 일류 재봉사가 되어 일류 양장점에 고용될 날을 막연히 꿈꾸며 재봉틀을 놀리면, 이런 단조로운 작업도 한결 덜 지루했다. 내가 일류 재봉사가 된 후에도 상훈이가 멕기 공장 직공이어도 괜찮을까, 그걸 잘 모르겠어서 약간 고민도 되었다.

  은반지를 감쪽같이 금반지로 만드는 일은 확실히 신기한 일이지만, 너무 요술기가 있어서 사기꾼 같은 일이 아닐까 하는 생각도 들었다. 그렇지만 상훈이 말로는 장사꾼들이 그걸 갖다가 금반지로 속여 파는 일은 없고, 다만 금반지를 끼고 싶지만 돈이 없는 사람들에게 싸게 팔 뿐이라니 얼마나 좋은 일인가도 싶었다. 실상은 나도 그런 거라면 하나 끼고 싶었다. 언제고 한번은 상훈이가 나를 좋아한다는 소리를 하긴 할 테고, 그때 넌지시 멕기한 금반지를 내 손에 끼워 주면서 그런 소리를 한다면 얼마나 무드가 날까. 그러면 나는 누구에게도 그게 멕기한 반지란 걸 알리지 말아야지. 이런 공상은 절로 웃음이 비죽비죽 나올 만큼 행복한 공상이었다. 그러나 주인아줌마는 남의 속도 모르고 즐겁고 훈훈한 공상에 구정물을 끼얹는 것 같은 소리를 했다. 밑도 끝도 없이 푸듯이

"쯧쯧, 네 에미년은 죽일 년이다. 죽일 년이고 말고."

어머니는 몇 달 전에 이미 죽었고, 주인아줌마는 누구보다도 그걸 잘 알고 있을 터인데도 그걸 욕이라고 했다. 어머니가 죽었을 때도 제일 먼저 달려와 준 이 아줌마는 이런 몹쓸 년 봤나, 이런 죽일 년 봤나, 하고 치를 떨었다.

아줌마는 우리가 지독하게 가난해진 후에도 우리와 왕래하던 어머니의 단 하나의 친구였고, 어머니의 허영을 어느 만큼은 이해했던 친구이기도 했다. 아버지 회사가 망해서 아버지가 머리가 허연 나이에 퇴직금 한 푼 못 받고 실직했을 때 어머니가 앞으로의 생활 대책을 논의했던 단 하나의 친구도 이 아줌마였다. 아줌마는 소싯적에 과부가 되어 이것저것 안 해 본 일이 없었기 때문이었다. 아줌마는 우선 우리가 그 동안 한 푼의 저축도 없이 살았다는 걸 알고 어안이 벙벙해했다. 너 그동안 내가 태워 준 계만 해도 몇 구찐데 그 목돈 다 어쨌느냐고 따졌다. 어머니는 조금도 풀이 죽지 않은 채, 넌 월급쟁이 생활을 몰라서 그렇지, 다달이 적지않이 적자가 나게 마련이고, 곗돈으로 그 석사 메우기도 바빴었다고 발뺌을 했다. 아줌마는, 너 앞으로 고생 좀 해도 싸다며 방이나 한 칸 전세나 주어서 식료품 가게나 내보라고 일러 주었다. 다행히 집이 길목이

좋으니까 두 내외가 열심히 뛰면 생활은 될 거라고 했다.

그러나 어머니는 아줌마 말을 따르지 않았다. 사회적으로 어엿하게 출세한 남편 갖고, 생활 기반이 확고하게 잡힌 친구들 보기 창피하게시리 어떻게 구멍가게를 할 수 있느냐는 거였다. 사람이 한번 본때 있게 살아 보려면 통이 크고 투기성이 있어야 하고 기회를 잘 잡아야 하는데, 지금이 바로 그 기회라고 어머니는 아버지를 충동질했다. 아버지가 회사에 잘 다녀 착실하게 생활을 꾸려 나갈 때도 어머니는 외출만 했다 돌아오면 신경질을 부렸었다. 남들은 수단들이 좋아 작년 다르고 올해 다르게 살림이 늘고 으리으리하게들 사는데, 이놈의 집구석은 어떻게 된 게 맨날 요모양 요꼴로 사는지 모르겠다고, 아버지를 상전이 하인 들볶듯 들볶아쳤다. 그러니까 어머니는 아버지의 실직이, 아버지가 쩨쩨한 월급쟁이 생활을 면하고 통이 큰 사업가가 될 좋은 계기가 되길 바랐던 것이다.

그래서 어머니는 수억대를 가지고 있다는 부자 친구네를 뻔질나게 드나들더니 드디어 집을 담보로 목돈을 빌릴 수가 있었다. 어머니의 이런 내조에 힘입어 아버지는 사무실을 얻고, 전화 놓고 회전의자 돌리고, 급사도 두고 사장 노릇을 시작했다. 어머니는 하루에도 몇 번씩 아버지 회사에 전화 걸기를 좋아했다. 응, 미스 최야? 여기 사장님 댁인데 사장님 좀 바꿔 줘. 그 소리를 하고 싶어 못 살아했다. 그러나 미처 그 소리에 사모님다운 가락이 붙기도 전에 회사는 망하고 집까지 내쫓겼다. 저당권 설정하고 빌린 돈을 이자도 원금도 한푼도 안 갚았으니 명의가 이전되고 내쫓기는 건 당연한 결과라는 거였다. 그 밖에도 조금씩 얻어다 쓴 푼돈 때문에 세간살이까지 돈 될 만한 건 다 빼앗겼다. 어머니는 어머니의 부자 친구한테 네가 이렇게 나올 줄은 정말 몰랐다고 원망하다가 나중에는 미친 듯이 대들었지만, 모든 것이 그 친구의 뜻대로 되고 말았다. 나는 지금도 우아하고 기품 있는 어머니의 그 부자 친구가 눈썹 하나 까딱 안하고 우리의 모든 것을 빼앗아 가던 날을 생생하게 기억한다.

그래도 그 친구는 우리를 거리로 내쫓지를 않고 전세방을 하나 얻어 주었다. 너는 고생해 싸지만 네 자식들이 불쌍해서 베푸는 동정이라고 하면서. 이렇게 어머니의 친구들은 인형옷 만드는 집 아줌마건, 수억대를 주무르는 부자 친구건 모두 어머니에게 고생을 해서 싸다고 그랬었다. 그러나 죽어도 싸다곤 안 그랬었다.

어머니는 전세방에 나앉은 후에도 도저히 자식들 공부를 계속 시킬 수가 없다는 현실을 인정하려 들지를 않았다. 세상에, 개돼지도 아니고 인두겁을 쓴 사람으로서 어떻게 자식 대학 공부를 안 시키겠느냐고 철 없이 설쳤다. 아버지도 어머니도 어디 가서 한 푼이라도 벌 궁리는 안 하고 그저 공부 공부 하면서 전셋돈을 빼다가 오빠들 삼류 대학 등록금 하고, 내 고등학교 등록금 하고, 그러곤 사글세방으로 옮겨앉았다. 그러나 학교고 뭐고 다 고만둬야 할 날은 어김없이 왔고, 기어이 보증금도 없이 월세만 사천 원인 산동네까지 가는 신세가 되고 말았다. 그러면서도 어머니는 우리가 알거지가 됐다는 걸 인정하려 들지 않았다. 고리타분하고 시척지근한 가난의 냄새에 발작적으로 진저리를 쳤고, 가난한 사람들의 끈질긴 생활력을 더러운 짐승처럼 징그러워했고, 끝내 가난뱅이하곤 상종을 안 했다. 아무리 없는 것들이기로서니 아무리 상것들이기로서니 인두겁을 쓰고 어떻게 이런 굴 속 같은 방에서 이렇게 비위생적으로, 이런 지독한 냄새를 풍기며 살 수 있을까 하고 흉을 보았다.

그러면서도 어머니는 우리 살림을 제일 더럽게 해서 우리 쪽마루엔 설음질도 안 한 그릇들이 다음 끼니 때까지 그대로 헤벌려져 있어 온 동네 파리가 살판난 듯 엉겨붙게 내버려두었다. 어머니는 이렇게 가난에 길들여지기를 한사코 거부했던 것이다.

인형옷 만드는 집 아줌마가 어머니에게 자기 집에 와서 그 일이라도 거들어서 새끼들 굶기지는 않아야 할 것 아니냐고 몇 번이나 권하다 못해 나한테 너라도 나와보지 않으련 했다. 나는 얼씨구 하고 거기 나가서 그 앙증한 옷을 만드는 일을 배웠다. 그 일은 재봉틀이나 놀릴 줄 알면 되는, 기술이랄 것도 없는 쉬운 일이었다. 내가 하는 것을 며칠 지켜보던 아줌마는 한 달에 만 원씩 주마고 했다. 너니까 너희 식구 살려주는 셈치고 특별히 후하게 준다는 거였다. 그 날 나는 그 소식으로 식구를 즐겁게 하고 싶어 한달음으로 집으로 달려왔다. 만 원이라야 집세 빼면 다섯 식구 쌀값도 안 떨어질 푼돈이었지만, 식구 중 제일 어린 내가 만 원을 벌 수 있으니 식구가 다 발벗고, 체면치레도 벗고 나서면 제가끔 만 원씩이야 못 벌어들일까 싶었다.

합심하면 살 수 있어요. 이 동네 사람들이 다들 그렇게 사니까 창피할 것 하나도 없어요. 아이들도 벌고 어른들도 벌고, 노인들도 벌고, 개같이 벌어서 정승같이 살고들 있어요. 텔레비전 놓고 사는 집도 있고, 며칠에 한 번씩 돼지고기 구워 먹으면서 사는 집도 있고 아무튼 시끌시끌 노래도 부르고 낄낄낄 웃기도 하며 살고 있어요. 우리도 그렇게 살아요, 네. 우리 식군 노인도 없고 아이도 없고 다 벌 수 있잖아요. 서로 기대지 않고 다 나가서 벌면 못 살 것도 없단 말예요. 나는 이렇게 열심히 식구들을 부추겼다. 그러나 어머니는 오냐 우리가 너한테 기댈까 봐, 안 기댄다 안 기대 두고보렴 하더니 그 다음 날 내가 공장에서 돌아왔을 때 우리 식구는 죽어 있었다. 가을이라곤 하지만 노염이 가시지 않은 무더운 날, 방에 연탄불을 피워 놓고 문틈은 꼭꼭 봉하고 네 식구가 나란히 죽어 있었다. 나만 빼놓고 자기들끼리만 죽어 있었다.

공장에서 돌아오는 길에 아무리 늦어도 시장에 들르는 게 내가 상훈이하고 함께 살게 된 후 새로 생긴 버릇이었다. 생선가게 앞에서 나는 대구와 도미를 구경했다. 생선은 아무리 점잖은 고급 생선이라도 눈뜨고 죽는다고 아침에 상훈이한테 장담했지만 어째 좀 어정쩡해서 다시 확인해 봤다. 모든 생선이 해맑은 눈을 둥그렇게 뜨고 좌판에 누워 있었다. 생선은 눈이 있어도 눈꺼풀이 없겠거니 싶자 웃음이 쿡쿡 치밀었다.

나는 짜게 절인 고등어를 한 손 샀다. 고등어란 놈은 연탄불에 얹어서 구우려면 기름이 많은 놈이라 연기도 몹시 나겠지만 냄새도 지독할 게다. 아마 터널 속 같은 여섯 가구 공동의 부엌을 짜고 비린 고등어 굽는 냄새로 꽉 채울 게다. 나는 의기양양해서 산동네를 향해 종종걸음을 쳤다. 상훈이는 먼저 와 있으면서 아무것도 안 해 놓고 벌렁 누워 있었다.

"먼저 온 사람이 밥해 놓기로 했잖아."

상훈이는 들은 척도 안 하고 담배만 한 개비 꼬나물었다.

"너 정말 이러기야. 네가 날 부려먹을려면, 네가 날 먹여살려얄 게 아냐. 안 그래. 누가 누구 덕 보려고 같이 사는 거 아니잖아."

우리 생활비를 서로 공평하게 반분해서 부담하고 있으니만큼 가사에 소모하는 노동력도 그러기로 했던 것인데 암만해도 노동력에선 내가 밑지고 있는 것 같아 억울한 생각이 들었다.

"오늘은 좀 내버려둬 줘."

상훈이는 풀이 죽어 있었다. 슬픔을 억제하고 있는 것같이도 보였다.

"왜 공장에서 무슨 기분나쁜 일이라도 있었어?"

"만식이, 그치가 오늘 기어코 공장에서 피를 토했잖아."

"어머머, 그럼 걔가 정말 폐병쟁이였구나. 그래서 어떻게 됐어?"

나는 만식이를 만난 일은 없지만 상훈이한테서 창백하고 늘 밭은기침을 콜록콜록한다는 얘기를 들어서 알고 있었다. 암만 해도 폐병쟁이 같다고 해서 같이 섬심 먹을 때가 제일 기분 나쁘다고 했다.

"별안간 각혈을 하고 정신을 못 차리고 쓰러지니까 주인은 송장치게 될까 봐 겁이 나는지 빨리 집에 업어다 주라고 괜히 우리들만 갖고 호통을 치잖아. 그래서 업어다 주고 주인이 준 돈도 전해 주고 그러고 왔지 뭐."
"주인이 돈을 얼마나 주었는데."
"얼만 얼마야, 어제까지 일한 거 일당으로 쳐줬지."
"깍쟁이 자식. 그건 그렇고, 그래 너희들은 가만히 보고만 있었어?"
"보고만 있잖으면 어떡해?"
"친구가 그 꼴이 됐는데도 같이 일하던 공장 친구들이 보고만 있었단 말이지. 그러고도 마음이 편하단 말이지? 그러면 못써. 뭐니뭐니해도 어려울 땐 어려운 사람들끼리 도와야지, 그러면 못쓴다구."

상훈이는 그래도 내 말을 못 알아듣고 어리둥절해했다. 그럴 때의 그는 몹시 아둔하고 맹추스러워 보였다. 가난뱅이답지 않게 수려한 이목구비도 백치스러워 보였다. 나는 그런 그에게 맹렬한 저항을 느꼈다. 그래서 와락 짜증을 내면서 없는 사람끼리 그러면 못쓴다고 돈을 추렴해 가지고 문병 가서 가족을 위로하고 특히 본인에겐 곧 나을 테니 걱정 말고 몸조리나 잘하라고 거짓말을 시켜야 한다고 가르쳤다. 죽을 때까지 가끔가끔 그렇게 해줘야 된다고 타일렀다. 죽을 때까지라면 한없이 긴 동안 같지만 각혈을 했다니 살면 얼마나 살랴, 나는 처연한 기분으로 그런 계산까지 했다. 우리는 맛없게 저녁을 먹고, 말없이 뜨악하게 앉았다가 자리에 들었다. 외풍이 센 방에선 그저 눕는 게 제일이었다. 이불 밖으로 코를 내놓으면 코끝이 시리게 외풍이 세고 방바닥이라야 겨우 냉기가 가신 방에서 우린 어쩔 수 없이 서로를 밀착시켰다. 그리고 한 이불 속에 든 남녀라면 누구나 할 수 있는 짓을 하면서도 나는 이게 아닌데, 아아, 이게 아닌데 하고 생각했다. 그건 우리가 둘 다 서로 그 방면에 풋내기라는 데서 오는 초조감하곤 달랐다. 나는 그 짓을 통해 따뜻하고 평화스러운 느낌이 되길 바랐지만 정반대의 느낌으로 끝나게 마련이었다. 그래서 나는 울고 싶었다. 그러나 억지로 참았다. 나는 행복했던 적에도 울기 잘하는 계집애였어서 울고 난 후에 모든 것이 씻겨내린 듯한 상쾌감을 알고 있었다. 그러나 나는 지금 모든 것을 씻겨낸 후의 내 모습을 보는 것을 원치 않았다.

아침에 나는 우리 공동의 예금통장을 상훈이한테 주면서, 돈을 거두려면 먼저 그 주동자가 선뜻 돈을 내놓고 나서 남에게 손을 벌리는 게 순서이고, 그렇게 해야 일이 쉬울 거라고 일러 줬다. 얼마간이라도 걷히는 대로 빨리 갖다 주라고 신신당부를 하고 공장을 나와서도 뭔가 좋은 일을 하고 있다는 걸로 온종일 마음이 흐뭇했다. 내가 살고도 남아 남을 돕는다. 생각만 해도 자랑스러웠다. 그러나 밤에 집에 돌아온 나는 기절을 할 만큼 놀랄밖에 없었다. 예금통장에 잔고가 한 푼도 남아 있지를 않았다. 몽땅 털어 폐병쟁이한테 갖다 줬다는 거였다. 삼만 원이 넘는 돈을 몽땅, 그게 어떤 돈이라고. 정말이지 미치고 환장을 하지 않고서는 도저히 그럴 수는 없는 일이었고 나 역시 미치고 환장을 하지 않고서는 도저히 참아 줄 수 없는 일이었다.

"미안하게 됐어. 그렇지만 말야, 네가 몰라서 그렇지 누구한테 돈을 걷니? 다 말도 못하게 지독한 가난뱅이들뿐인걸."

"뭐라구. 모두 가난뱅이들뿐이라구? 그럼 우린 뭐니? 우린 부자니."

나는 내 분을 내가 이기지 못해 그의 멱살을 잡고 질질 끌어다가 골통을 벽에다 콩콩 부딪쳐 주었다. 그래도 그는 태평스레 히죽히죽 웃었다. 그는 삼만여 원 중 반이 넘는 돈이 자기 돈인데도 조금도 아까워하지 않고 있었다. 그렇다고 그가 그 폐병쟁이를 뼈아프게 동정했던 것도 아니란 걸 나는 안다. 둘 다 그에겐 조금도 절실하지 않았다. 바로 그것이 문제였다. 따라서 도와주고 싶은데 돈은 아깝고, 그래서 돈을 꺼냈다 넣었다, 이천 원을 내놓을까, 삼천 원을 내놓을까, 천 원 상관으로 십 분노 넘어 괴로워하고 도와줄까 말까로 한 시간도 넘어 애타심과 이기심이 투쟁을 하는 그 뼈아픈 갈등을 전연 겪지 않고, 헌신짝 버리듯 무심히 삼만여 원을 그냥 버렸던 것이다. 그걸 깨닫자 나는 오한처럼 오싹 기분 나쁜 불안감을 느꼈다.

"넌 뭐니. 넌 뭐야? 이 새끼야. 넌 부자니, 부자야?"

나는 불안을 털어 버리려고 다시 악을 썼지만 그는 여전히 히죽히죽 웃기만 했다. 나는 제풀에 지쳤다. 나는 기진맥진 지칠대로 지쳤는데도 좀처럼 잠들지 못했는데 그는 곧 잠들었다. 나는 수명이 다 돼 침침한 20촉짜리 형광등 밑에서 그의 자는 얼굴을 곰곰이 들여다보았다. 도대체 넌 뭐냐? 삼만 원이 넘는 돈을 헌신짝처럼 버리고 편히 잠들 수 있는 너는 뭐냐. 기가 죽지 않는 건 좋다고 치자. 그렇지만 너의 그건 가난뱅이들의 억척스럽고 모진 그 청청함하곤 확실히 다르다. 전연 이질적인 것이다. 나는 깊이 전율했다. 내가 상훈이를 만난 것은 오 원짜리 풀빵을 굽는 포장친 구루마 앞에서였다. 나는 한눈에 그가 그 근처에 즐비한 가내 공업하는 공장의 직공이라는 걸 알 수 있었다. 그런데 풀빵을 먹는 꼴이 여간만 꼴불견인 게 아니었다. 손이 더럽다는 걸 지나치게 의식해서 그랬겠지만 풀빵을 맨손으로 잡지를 않고 어디서 났는지 오톨오톨한 꽃무늬가 있는 하얀 종이 냅킨으로 싸서 집어먹고, 다 먹고 나서는 그 냅킨으로 입언저리를 자못 점잖게 꾹꾹 눌러 닦았다.

같은 오 원짜리 풀빵을 먹으면서 그까짓 종이 한 장으로 이 곳에서 풀빵을 먹고 있는 배고프고 피곤한 저녁 나절의 직공들 사이에서 우월감 같은 걸 누리고 있는 게 몹시 꼴사납게 보였다. 그 때 나는 도시락도 못 싸가지고 다닐 때라 배가 몹시 고팠기 때문에 풀빵을 계속해서 정신없이 집어먹었다. 다 먹고 나서야 냅킨으로 싸서 먹던 아니꼬운 녀석이 여지껏 나를 지켜보고 있었다는 걸 알았다. 너 그렇게 먹고도 목메지 않니. 어디서 차나 한잔 사 줄까 하고 그가 수작을 붙였다. 차를 사 준다는 소리에 나는 배꼽을 움켜잡고 숨이 막히게 웃고 또 웃었다. 저 얼간이 같은 게 여자를 꼬시길 때, 다방에나 가자로 시작한다는 건 그래도 어디서 들어서 알고 있구나 싶어 그게 그렇게 우스울 수가 없었다. 저하고 나하고 그 주제꼴하며 풀빵먹는 뱃속하며 다방이 아랑곳인가. 그렇지만 차츰 나는 이 얼간이가 마음에 들었고, 풀빵집에서 못 만나고 마는 날은 하루를 헛산 것같이 허수했다. 혼자 산다고 하기에 나처럼 고아려니 했고, 그래서 같이 살자고 내 쪽에서 먼저 꼬드겼고——이것이 내가 상훈이를 알게 되고 같이 살게 된 전부였다.

폐병쟁이 사건이 있은 후도 우리는 같이 살았지만, 나는 가끔가끔 그에게 발작적으로 신경질을 부렸다. 나는 삼만 원 때문에 그를 그렇게 들볶는 척했지만 실상은 그게 아니었다. 그가 폐병쟁이에 대해 완전히 잊어버리고 하루하루를 편히 사는 게 가끔 미운 생각이 났고 그래서 그렇게 들볶는 거였다. 그러던 어느 날 그는 아무런 예고 없이 집에 들어오지 않았다. 다음날도 그 다음 날도 계속 들어오지 않았다. 기다리다 기다리다 드디어 나는 굴욕감을 무릅쓰고 멕기 공장에 찾아가 보았다. 멕기 공장에도 안 나온다는 거였다. 주인이 나에게 무서운 소리를 했다. 어디서 사고가 나도 크게 났을 게 틀림이 없다는 거였다. 다른 데로 날으려면 월급도 당겨 쓰고 구멍가게 외상도 잔뜩 지고 날으는 법인데 월급셈도 안 해 가지고 없어졌으니 차에 치여 죽었든지 깡패 칼에 맞아 죽었든지 둘 중의 하나겠지 하고 자못 자신있게 장담을 했다.

그 날 나는 별의별 끔찍한 공상을 다하며 잠을 못 잤지만 그를 위해 무엇을 어떻게 해야 되는지에 대해서는 전연 알지를 못했다. 서울 장안이 어느 만큼 크고 복잡한가 나는 그것을 제대로 파악조차 할 수 없는 채 다만 겁이 날 뿐이었다. 나는 밤마다 오그리고 새우잠을 자면서 훌쩍훌쩍 울고 아침에는 여전히 공장에 나갔다. 밥벌이를 위해서도 공상에는 나가야 했지만 공장에 나가 있는 동안 그가 돌아와 있을지도 모른다는 생각, 꼭 돌아와 있을 것만 같은 확신으로 하루를 보내고, 방에 불이 켜져 있는 것을 믿으며, 산동네의 비탈길을 미친 듯이 달음질치는 뜨겁고 부푼 기대의 시간을 위해서 공장에 나가는 거였다. 나는 기적이란 사람 눈에 안 띄게 몰래 일어나는 것으로 막연히 알고 있었고, 그래서 내 방에서 기적이 일어나게 하기 위해서도 매일 방을 비워 줘야 하는 것이었다. 나는 매일 허탕을 치면서도 매일 기다렸다.

어느 날, 내 방에 불이 켜져 있었다. 그리고 상훈이가 돌아와 있었다. 그는 냉랭하고 남남스러운 얼굴로 나를 맞았다. 그는 좋은 옷을 입고 있었고, 머리끝에서 발끝까지 깨끗했다. 그래서 그런지 그가 내 방에 앉아 있는 게 아주 비현실적으로 보였다. 나는 그가 비참하게 돼서 돌아오는 경우만 상상했지 이렇게 훌륭하게 돼서 돌아오는 경우를 전연 예기치 못했으므로 우두망찰을 했다. 잠시라도 어디로 도망갔다 다시 나타날 수 있으면 뭔가 좀 수습할 수 있을 것 같았다.

"웬일이야?"

나는 내가 들어도 내 목소리 같지 않은 가래가 걸린 듯한 잠긴 소리로 겨우 이렇게 말했다.

"응, 돈 갚으려고. 그 때 그게 삼만 얼마더라?"

그는 은행원처럼 친절하고 사무적인 태도로 말했다. 나는 내 속에서 꿈틀대던 정다운 것들이 영영 사라져가고 있는 것처럼 느꼈다. 지독한 혼란이 왔다. 문득 그의 옷깃에서 빛나는 대학 배지가 눈에 띄고, 방바닥에 그의 것인 듯한 술이 두꺼운 책까지 눈에 띈다. 번개처럼 어떤 생각이 머릿속에 떠올랐다. 나는 겁먹은 소리로 악을 썼다.

"너 미쳤니? 너 기어코 도둑질을 했구나. 해도 왕창. 그리고 가짜 대학생짓까지. 너 정말 미쳤니?"

그러자 그게 다 나 때문인 것 같았다. 삼만 원 때문에 허구한날 들볶은 나 때문인 것 같았다. 나는 더럭 겁도 났지만 심장이 찐하도록 감동

했다. 그래서 나는 잔뜩 울상을 하고 그에게 안기려고 했다. 그러나 그는 나를 고상하게 거부했다.

"여봐, 이러지 말고 이제부터 내가 하는 소리를 정신차리고 똑똑히 들어. 나는 미치지도 않았고 도둑놈은 더구나 아냐. 나는 부잣집 도련님이고 보시는 바와 같이 대학생이야. 아버지가 좀 별난 분이실 뿐이야. 아들 자식이 너무 고생을 모르고 자라는 걸 걱정하셔서 방학 동안에 어디 가서 고생 좀 실컷 하고, 돈 귀한 줄도 좀 알고 오라고 무일푼으로 나를 내쫓으셨던 거야. 알아듣겠어?"

어떻게 그걸 알아들을 수가 있단 말인가. 우리 어머니는 부자들이 얼마나 호강들을 하며 사나에 대해 아는 척하기를 좋아했었다. 세상에 돈만 있으면 안 되는 게 없고 못하는 게 없고, 인생의 온갖 열락이 돈 주위에 아양을 떨며 모여든다고 했다. 그렇지만 가난뱅이짓을 장난삼아 해보는 부자들에 대해선 들은 바가 없다.

"우리 아버진 좋은 분이야. 요즈음 세상에 보기드문 분이지. 자식들에게 호강 대신 여러 가지 어려움을 겪게 하고 싶으셨던 거야. 덕택에 나는 이번 방학에 아주 소중한 경험을 할 수 있었지. 돈 주고도 살 수 없는 귀한 경험이었어."

참 생각난다. 인형옷 만드는 집 아줌마가 텔레비전 연속극 얘길 하면서, 재벌의 아들이 인생 공부 삼아 물장산가 뭔가 하는 얘기를 하던 것이 생각났다. 아무리 연속극이라지만 구역질나는 얘기라고 생각했다. 도대체 가난을 뭘로 알고 즈네들이 희롱을 하려고 해. 부자들이 제 돈 갖고 무슨 짓을 하든 아랑곳할 바 아니지만 가난을 희롱하는 것만은 용서할 수 없지 않은가. 가난한 계집을 희롱하는 건 용서할 수 있다손치더라도 가난 그 자체를 희롱하는 건 용서할 수 없다. 더군다나 내 가난은 그게 어떤 가난이라고. 내 가난은 나에게 있어서 소명이다.

"아버진 만족하고 계셔. 내가 그 동안 그 지독한 생활을 잘 견딘 걸. 그래서 친구분한테도 자식들을 그렇게 고되게 키우는 걸 권하실 모양이야. 실상 요새 있는 사람들, 자식을 너무 연하게 키우거든."

맙소사. 이제부터 부자들 사회에선 가난장난이 유행할 거란다. 기름진 영감들이 모여 앉아, 자네 자식 거기 아직 안 보냈나? 웬걸, 지금 여권 수속중이네. 누가 그까짓 미국 말인가, 빈민굴 말일세 하고.

"그래서 아버지가 기분 좋아하시는 낌새를 타가지고 네 얘기를 했어. 이런저런 빈민굴의 비참한 실정을 말씀드리다가 대수롭지 않게 슬쩍 내비쳤지. 글쎄 하룻밤에 연탄 반 장을 애끼자고 체온을 나누기 위한 남자를 한 이불 속에 끌어들이는 여자애가 다 있더라고 말야. 물론 끌려들어간 남자가 나였단 소리는 빼고. 그랬더니 아버지가 의외로 깊은 관심을 보이시고 집에 데려다 잔심부름이라도 시키다가 쓸 만하면 어디 야학이라도 보내자고 하시잖아. 좋은 기회야. 이 기회에 이런 끔찍한 생활을 청산해. 이건 끔찍할 뿐더러 부끄러운 생활이야. 연탄을 애끼기 위해 남자를 끌어들이는 생활을 너도 부끄러워할 줄 알아야 돼."

암 부끄럽고말고. 부끄럽다. 부끄럽다. 부끄럽다. 당장 이 몸이 수증기처럼 사라질 수 있으면 사라지고 싶게 부끄럽다. 부끄럽다.

"자 돈 여기 있어. 다시 데릴러 올 테니 옷가지라도 준비해. 당장이라도 데리고 가고 싶지만 이런 꼴로 갈 순 없잖아."

나는 돈을 받아 그의 얼굴에 내동댕이치고 그리고 그를 내쫓았다. 여섯 방의 식구들이 맨발로 뛰어나와 구경을 할 만큼 목이 터지게 악다구니를 치고 갖은 욕설을 퍼부어 그가 혼비백산 도망치게 만들었다.

"가엾게스리 미쳤구나."

그는 구두짝을 주섬주섬 집어들고 도망치면서 중얼거렸지만 아마 곧 나에 대해 잊어버리게 될 것이다. 나는 그를 쫓아보내고 내가 얼마나 떳떳하고 용감하게 내 가난을 지켰나를 스스로 뽐내며 내 방으로 돌아왔다. 그런데 내 방은 좀전까지의 내 방이 아니었다. 빗발로 얼룩얼룩 얼룩진 채 한쪽이 축 처진 반자지, 군데군데 속살이 드러난 더러운 벽지, 자크가 고장난 비닐 트렁크, 절뚝발이 날림 호마이카 상, 제 몸보다 더 큰 배터리와 서로 결박을 짓고 있는 낡은 트랜지스터 라디오, 우그러진 양은 냄비와 양은 식기들——, 이런 것들이 어제와 똑같은 자리에 있는데도 어제의 것이 아니었다. 그것들은 다만 무의미하고 추했다. 어제의 그것들은 서로 일사불란 나의 가난을 구성하고 있었지만, 지금 그것들은 분해되어 추한 무용지물일 뿐이었다. 판잣집이 헐리고 나면 판잣집을 구성했던 나무 판자때기, 슬레이트, 진흙덩이, 시멘트 벽돌, 문짝들이 무의미한 쓰레기더미가 되듯이 내 가난을 구성했던 내 살림살이들이 무의미하고 더러운 잡동사니가 되어 거기 내동댕이쳐져 있었다. 나는 그것들을 다시 수습할 수 있을 것 같지가 않았다. 내 방에는 이미 가난조차 없었다. 나는 상훈이가 가난을 훔쳐갔다는 걸 비로소 깨달았다. 나는 분해서 이를 부드득 갈았다. 그러나 내 가난을, 내 가난의 의미를 무슨 수로 돌려받을 수 있을 것인가.

나는 우리 집안의 몰락의 과정을 통해 부자들이 얼마나 탐욕스러운가를 알고 있는 터였다. 아흔아홉 냥 가진 놈이 한 냥을 탐내는 성미를 알고 있는 터였다. 그러나 부자들이 가난을 탐내리라고는 꿈에도 못 생각해 본 일이었다. 그들의 빛나는 학력, 경력만 갖고는 성이 안 차 가난까지를 훔쳐다가 그들의 다채로운 삶을 한층 다채롭게 할 에피소드로 삼고 싶어한다는 건 미처 몰랐다.

나는 우리가 부자한테 모든 것을 빼앗겼을 때도 느껴보지 못한 깜깜힌 절망을 가난을 도둑맞고 비로소 느꼈다. 나는 쓰레기더미에 쓰레기를 더하듯이 내 방 속에, 무의미한 황폐의 한가운데 몸을 던지고 뼈가 저린 추위에 온몸을 내맡겼다.

작품 알아보기
(단편문학)

〈징 소리〉는 방울재라는 수몰 지구를 배경으로, 장성댐 건설로 인해 겪는 실향민의 아픔을 그리고 있다. 마을이 물에 잠기자 도시로 떠난 머슴 칠복은 가난에 아내마저 떠나 버리자 반쯤 실성하여 징을 안고 고향으로 돌아온다. 하지만 고향 사람들은 그의 징 소리가 장사에 방해가 된다며 박절하게 그를 내쫓는다. 1970년대 농촌의 붕괴와 터전을 잃은 농민들의 한을 형상화한 작품이다.

〈한〉은 감옥에 들어간 막둥이를 면회하러 갈 여비를 마련하기 위해 김 장사를 하려는 늙은 어머니의 안타까운 마음을 그린 작품이다. **〈목선〉**은 김 채취선을 빌리려는 석주와 양산댁 사이에 오가는 미묘한 감정과 갈등이 갯냄새 물씬한 바닷가를 무대로 펼쳐지고 있다.

〈타령〉에서는 시장바닥에서 살아가는 사람들의 삶이 건강하게 묘사되고 있다. 아들을 위해 새우젓 냄새를 지우려고 애쓰는 호근이 엄마, 불구자이면서도 남에게 지나친 호의와 친절을 베푸는 동태, 기름집 대철이와 연애하다 쫓겨나는 식모 금희 등의 인물이 비 오는 시장의 풍경 속에 잘 녹아 있다.

〈옥상의 민들레꽃〉은 아파트 7층 베란다에서 자살한 한 노인의 이야기를 통해 물질적인 풍요보다 더 중요한 것은 서로에 대한 관심과 애정이라는 것을 보여 주는 작품이다. **〈도둑맞은 가난〉**에서 방값을 아끼려고 함께 살던 상훈이 부잣집 대학생이라는 것을 알게 된 나는 심한 모욕감과 분노를 느낀다.

논술 길잡이
(단편문학)

❶ 아래의 그림은 〈목선〉의 한 장면이다. 석주는 양산댁의 김
채취 머슴으로 들어가게 되는데, 석주에게서 채취선이 갖는
의미는 무엇인지 논술 해 보자.

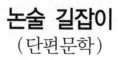

논술 길잡이
(단편문학)

❷ 60, 70년대는 공업 위주의 경제 성장 정책으로 농촌이 급속
히 해체되면서 전통 사회가 붕괴되고 사회의 양극화가 본격
화된 시기이다. 산업화에 따른 전통 사회의 붕괴에 대한 자
신의 생각을 〈징 소리〉와 관련해 논술해 보라.

❸ 저마다의 사연과 상처를 안고 살아가는 〈타령〉의 인물들은,
그 상처를 툭툭 털고 삶의 터전에서 씩씩하게 살아간다. 가
까운 시장을 찾아보고 자신이 느낀 시장 사람들의 인상을
글로 써 보자.

논술 길잡이
(단편문학)

❹〈한I〉의 시작 부분이다. 늙은 어머니가 아픈 몸을 이끌고 김 행상에 나서는 이유는 무엇인지 구체적으로 써 보자.

> 미역 장사를 해야 되겠다고 이를 악문 채, 왼팔과 오른손에 든 지팡이를 부지런히 내저으며 윗마을로 들어서는 늙은 어머니를, 비루먹은 황소 등어리의 털 빠진 살갗처럼 희끗희끗 쌓인 앞산의 눈을 쓸어 검은 들판을 건너온 찬 바람이, 마을 앞 사장의 늙은 팽나무 가지를 쌩 스치고, 흰 가는 베 치맛자락과 반백의 머리칼을 쥐어뜯을 듯이 싸고 돌았을 때, 쿨룩하고 기침을 하기 시작했는데, 그게 시작되자, 차분히 쪼그리고 앉아 윗몸을 움츠리며 연거푸 쿨룩 쿠울룩을 터뜨려 놓았다.

논술 길잡이
(단편문학)

❺ 〈도둑맞은 가난〉에서 주인공은 가난 자체를 중요한 재산으로 생각한다. 과연 가난이 재산이 될 수 있는가에 대해 각자의 의견을 써 보자.

❻ 가족들이 자기가 없어지기를 바란다고 생각하던 '나'는 시멘트 바닥에 꽃을 피운 민들레를 보면서 가족의 품으로 돌아가게 된다. 민들레꽃을 통해 내가 느꼈을 감정을 엄마에게 보내는 편지 형식으로 적어 보자.

논·술·한·국·대·표·문·학 〈전60권〉

펴 낸 이   정재상
펴 낸 곳   훈민출판사
주   소   경기도 고양시 덕양구 원당동 416번지
대 표 전 화   (031)962-3888
팩   스   (031)962-9998
출 판 등 록   제395-2003-000042호